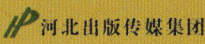

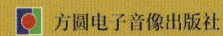

这里是河北
平原畅阔
PINGYUAN CHANGKUO

主编 丁伟 徐凡
著 宁雨

河北出版传媒集团
花山文艺出版社
方圆电子音像出版社
河北·石家庄

图书在版编目（CIP）数据

平原畅阔 / 宁雨著. -- 石家庄：花山文艺出版社，2023.12

（"这里是河北"丛书 / 丁伟，徐凡主编）

ISBN 978-7-5511-0515-6

Ⅰ.①平… Ⅱ.①宁… Ⅲ.①散文集—中国—当代 Ⅳ.①I267

中国国家版本馆CIP数据核字(2023)第195106号

丛 书 名：	"这里是河北"丛书
主 编：	丁 伟 徐 凡
书 名：	平原畅阔
著 者：	宁 雨
出 版 人：	郝建国
出版监制：	陆明宇 李 利 唐 丽
出版统筹：	李 彬 王玉晓
责任编辑：	李 鸥
特约编辑：	蒋海燕 杨玉岭
责任校对：	杨丽英
封面设计：	书心瞬意
装帧设计：	李关栋 张 曼
美术编辑：	胡彤亮 王爱芹
出版发行：	花山文艺出版社
	方圆电子音像出版社
销售热线：	0311-88643299/96/17
印 刷：	保定市正大印刷有限公司
经 销：	新华书店
开 本：	710毫米×1000毫米 1/16
印 张：	12.25
字 数：	137千字
版 次：	2023年12月第1版
	2023年12月第1次印刷
书 号：	ISBN 978-7-5511-0515-6
定 价：	73.50元

（版权所有 翻印必究·印装有误 负责调换）

目录

融媒体电子书

https://h5.fangyuanpress.com/py.htm

第一单元
厚土之冀

壹　这畅阔的风，恍若大河跫音　　/ 002

贰　美丽的珍珠链，历史的脊梁骨　　/ 016

叁　地道战，新英雄儿女传奇　　/ 031

肆　西柏坡，一个需要永远铭记的村庄　　/ 038

第二单元
文心悠游

壹　千载通衢，相约少年游　　/ 048

贰　河北四宝，无须仰视却巍峨　　/ 062

叁　把盏品茗说古窑　　/ 080

第三单元
物华苒苒

- **壹** 麦花香里说丰年 / 094
- **贰** 梨香故道溶溶月 / 106
- **叁** 人面桃花相映红 / 117
- **肆** 葡萄美酒夜光杯 / 124

第四单元
一方水土

- **壹** 春风十里闹红火 / 135
- **贰** 运河悠悠唱乡愁 / 140
- **叁** "驴火"乾坤大　冀菜滋味长 / 150

第五单元
冀景撷英

西柏坡　　/ 172

正定古城　　/ 174

赵州桥　　/ 176

隆兴寺　　/ 178

沕沕水　　/ 180

清西陵　　/ 182

吴桥杂技大世界　　/ 184

冉庄地道战遗址　　/ 186

古莲花池　　/ 188

扫码听书

扫码看视频

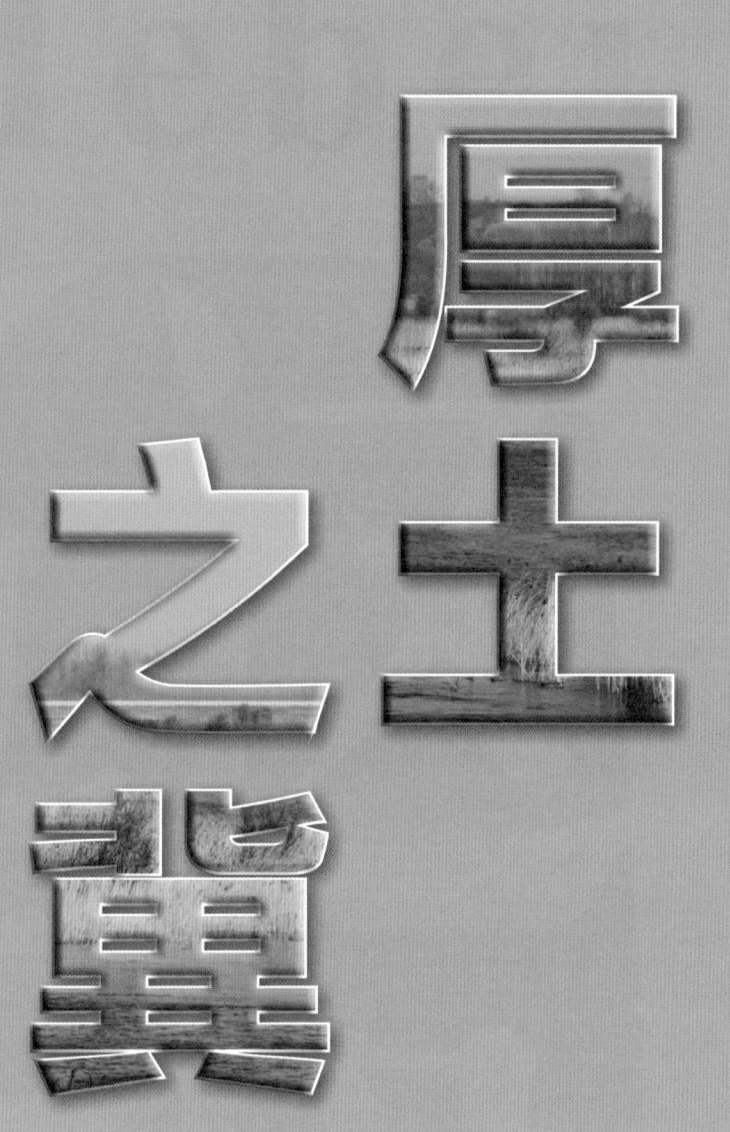

第一单元

厚土之翼

壹 >> 这畅阔的风，恍若大河跫音

河北大平原上风多。春夏时节，一场又一场畅阔的偏南风，像一个热衷于色彩的画师，先轻轻为千里沃野涂上鹅黄浅绿，为树木花草涂上星星点点的明黄淡粉，终而耐不住满心的激情，把姹紫嫣红慷慨地恩赐给河北这片土地。

从深秋开始，一场比一场狂野的风从北部、西北部呼啸而来。这风，是个性情专横又酷喜简约的艺术家，他先是不容商量地以霜红和金黄覆盖掉大地上所有的绿色，紧接着，便一路嘶吼着，挥动如天之剪，剪除草木庄稼的全副披挂，将自然万物的颜色统归于简单的白色、淡灰和土黄。

◎ 右页图　平原风光／刘世兴　摄

厚土之冀　第一单元　003

从太行山东麓、燕山南麓山前一路铺展，扇面般直达渤海湾，总面积达八万多平方千米的河北平原，天然是一个坦荡的风场，与环球季风形成互动友好的亲密盟友。

这块儿地势西北高东南低，一马平川的大平原，被气象学家定义为温带大陆性季风气候带。

与风周旋，相处日久，河北大平原上的人，就有了听风的习惯。

看着风向风势安排一日的劳作，瞩望一年的年景，又枕着大大小小的风声安眠生息。

⊙ 风力发电场／视觉中国　供图

一方水土的生成必有其由来，而其由来也必然携带了由其脾性生成的显性和隐性基因。

　　河北平原，在内外动力的共同推动下，从八千八百万年前的中生代末期，开启了漫长的孕育期和几度沧海桑田的幼年成长期。

　　内动力地质作用，以板块运动、褶皱断裂、火山爆发、地震等为重点；外动力地质作用的主力则是水和风。

　　约六千五百万年前的白垩纪末期，河流完成对华北山地的夷平和削高补低，形成"华北准平原"。

平原畅阔

这两千多万年的时间，自然界和谐共生，生态系统的演变风平浪静，是相对的地质平静期。

人类心中的时间长河，对于茫茫宇宙只是瞬息。在地质科考纪录片中，地质时间被设置了千万年、百万年的回放倍速，让我们有机缘在短短的几十分钟内回溯亿万年的家园生成史。

三百万年前第三纪后期，古老的华北盆地，逐渐发展为平原地貌，这就是现在河北平原的深层肌体。

在第三纪后期平原地貌基础上，经过两百多万年时间，厚达数百米的松散沉积物不断堆积，形成了如今的河北大平原。

经过漫长的岁月，海平面不断下降，大片平原露出，形成了今日河北大平原地貌的整体景观。

地质学上比较一致的观点认为，太行山脉是河北平原的"母地"。

在一方地貌迁化中，来自地球内部的动力从来离不开外动力水的襄助。

◎ 左页图　河北平原的"母地"太行山脉／宋现彬　摄

在我们的生活经验里，山洪暴发、河流决口是破坏巨大的灾难。

但地质学家认为，在远远超越人类历史的漫长地质年代中，大多数平原的最终形成，正是河流搬运、泥沙堆积的结果。山洪、决口，往往是洪冲积平原"分娩"前的阵痛。

俗话说："河水一石，其泥六斗。"从某种意义上看，包括河北平原在内的中国第二大平原——华北平原，就是黄河冲出来的。

考古发掘成果表明，黄河最晚在距今二万五千年的末次盛冰期就已流经华北平原，沿途流经今大名、清河、枣强、景县、青县等地，并最终在天津以东流入渤海盆地。

直到距今一万年以前，不仅今天河北中南部的卫河（古清河）、漳河、滹沱河、沙河、唐河都是古黄河的支流，乃至北部的永定河、潮白河，甚至直到冀东的滦河、青龙河，也都一度成为古黄河的支流。

关于黄河下游河道流经的具体记载，最早见于《尚书·禹贡》和《山海经·山经》。这些典籍大致反映了

◎ 上图　平原上的黄河／视觉中国　供图

春秋战国时期的地理状况。

　　《山海经·北山经·北次三经》中记录了不少黄河的支流，如源于河北或流经河北的淇水、滏水、漳水、浊漳水、景水、溹水、泰陆之水、泜水、槐水、洧水、肥水、皋泽、滹沱、溇水、滱水等。

平原畅阔 010

◎ 漳河／汇图网　供图

平原畅阔

◎ 左页图　滹沱河／视觉中国　供图

　　如果将这些支流注入黄河的地点连缀起来，就能从一定程度上还原当时黄河下游的河道所经。

　　根据现存文献记载，自1949年之前的三千年间，黄河下游决口，洪水泛滥至少一千五百多次，较大的改道有二三十次，其中最重要的改道有六次，史称"黄河六徙"。

　　北宋庆历八年（1048年），黄河再一次大溃。据判大名府贾昌朝的朝议记载："今夏六月癸酉，溃于商胡，经北都之东，至于武城，遂贯御河，历冀、瀛二州之域，抵乾宁军，南达于海。"这句话，成为黄河北流故道的证据。

　　几千年前，较少被人类干预的黄河，到达河南孟津之后，一出桃花峪进入平原，便进入无约束的漫流状态，其下游流经之地，大部与今天的海河流域重叠。

　　直到西汉时期，黄河依然大范围流经河北，至东汉，方改道山东入海。

> 　　借助高原和平原间的巨大地势落差，漳河、滹沱河、沙河、唐河、拒马河、永定河等河流，横切太行山主脉，裹挟着泥沙冲出山口，冲积而成了河北大平原中最早形成的部分——太行山山前平原。

此后的千万年里，河流带着泥沙东流入海，不断形成新的冲积平原，河北平原的东侧海岸也不断向东推移。唐山曹妃甸，这片最年轻的陆地诞生时间只有百年。

沧海桑田的现实版，令人击节而叹。

大河的涛声，远离我们已经很久。但一块因河而名的热土，怎会忘却她的母亲河？

河北，大河之北。《尔雅·释丘》说："天下有名丘五，其三在河南，其二在河北。"

这河，即指黄河。"河北"，就是黄河以北的广大区域，包括今天河北省的大部分地区。

春天，在一场又一场畅阔的偏南风来临之时，山脚下的农田里，农民栽种的油菜花已经盛开，每一朵油菜花都发出春天的邀请。放眼望去，像是给大地铺上了一层金黄色的地毯。

此时，总是令人想起黄河，想起它自天上而来，向渤海而去的涛声。

曾几何时，黄河的蹬音不响，三月的春帷不揭。

◎ 右页图　油菜花海／宋建萍　摄

第一单元　厚土之冀

贰 >> 美丽的珍珠链，历史的脊梁骨

有着"天下之脊"美誉的太行山，是我国地形第二阶梯与第三阶梯的分界线。独特的地理位置和历史渊源，让太行山东麓逐渐出现了一条平行于太行山的山前走廊，地理学家侯仁之曾开创性地提出"古代太行山东麓大道"的概念。

这条延续数千年的"大道"，不仅具备联通南北的国家通衢意义，也像一条闪耀的珍珠链，穿起一大串在文明史上各具标志性意义的燕赵古代城市。

邯郸武安，便居于这条"大道"之上。它地处太行山东麓，自古便为西通"三晋"、东出太行的交通要冲。这里有一处闻名世界的遗址——磁山文化遗址。

◎ 右页图　武安市东太行山／视觉中国　供图

厚土之冀　第一单元　017

平原畅阔

◎ 左页图　灵寿五岳寨/视觉中国　供图

磁山文化遗址出土粟黍规模之大、数量之多，令人震撼。还有两件出土的木炭标本，经中国社会科学院考古研究所测定，年代距今至少有八千多年。

磁山文化，开启了粟作农业的先河，也奠定了早期中华文明的历史基础。

如今的燕赵大地上，城市星罗棋布，古城名镇不可胜数。

灵寿这座藏于深山之中的古县虽历史悠久，但一度少有人知。随着一系列考古发现，古中山国文明得以重现于世。数千年前那个千乘之国的辉煌，使灵寿有了新的荣光。

◎ 右图　灵寿中山故都遗址／汇图网　供图

河北，别称燕赵，因战国时期的燕国和赵国而得名。但战国时期，今天石家庄一带的土地，曾有八十余年的时间，既不属于燕，也不属于赵。一个名为中山的神秘国度，作为"战国第八雄"称雄于世。

为了与汉代的中山国相区别，考古研究者称之为"古中山国"。

厚土之冀 021 第一单元

平原畅阔 022

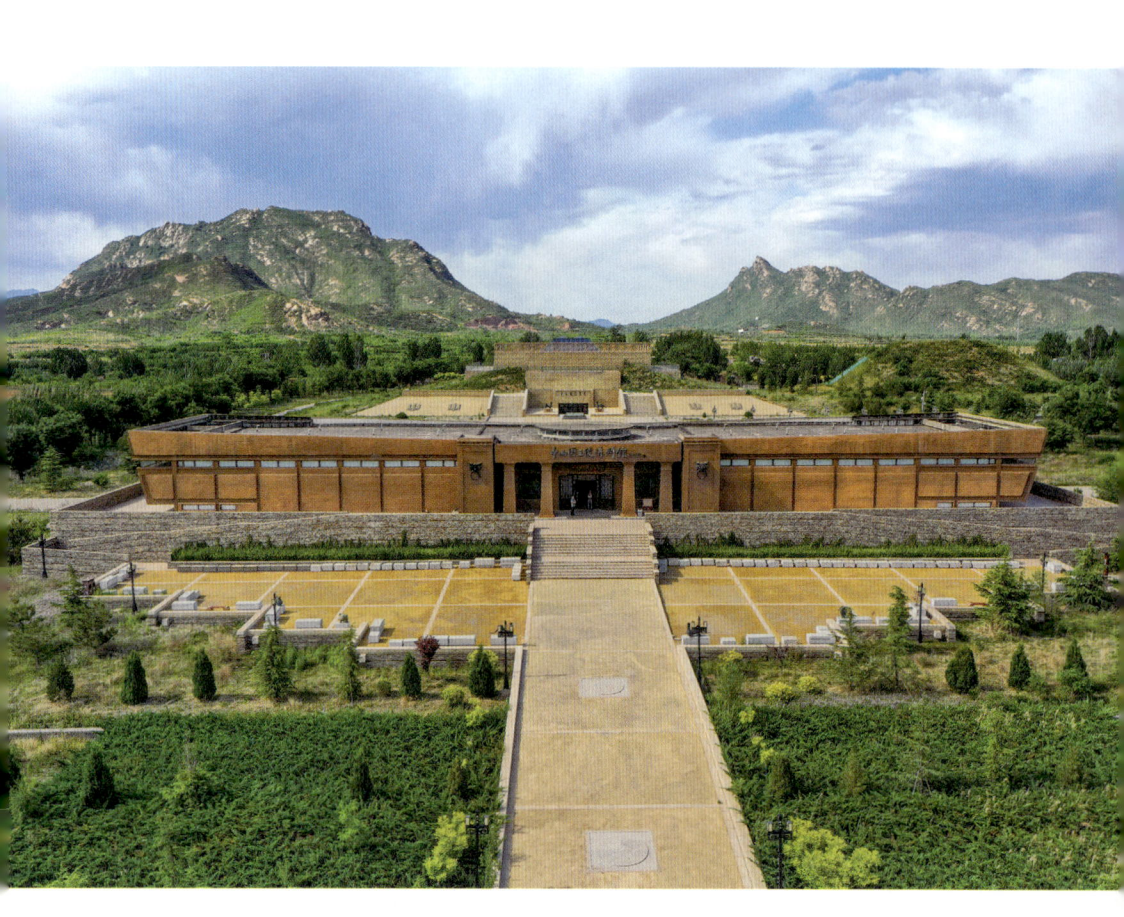

◎ 左页上图　中山王陵陈列馆／郭宪芳　摄
◎ 左页下左图　铜山字形器／汇图网　供图
◎ 左页下中图　鹰柱铜盆／汇图网　供图
◎ 左页下右图　墨书双龙青玉佩／汇图网　供图

相传，古中山国的前身是白狄鲜虞部。公元前774年至公元前771年间鲜虞已经登上历史舞台，是周王室北部一个比较重要的部族。"中山"作为国号，首次见于史书记载在公元前506年。

中山王譻墓出土王字银铺首、鹰柱铜盆、铜山字形器、错银铜双翼神兽、墨书双龙青玉佩、嵌松石勾连云纹铜方壶、四龙四凤铜方案座等众多可圈可点的文物。

这些文物堪称奇绝的生动细节，总让人浮想联翩。通过对古中山国文化不遗余力地挖掘，作家程雪莉曾以"仁厚实在，忠勇稳定，悲歌慷慨"十二个字概括中山国的文化精神特质。

而汉代中山国，处于太行山东麓山前平原上。中山靖王墓所在的满城，以及中山国都城所在的定州，都是建城两千多年的古城。

太行山东麓大道所穿起的古代城市项链中，至今发现最古的一粒"珍珠"，是三千五百年前的邢台。

邢台郭守敬大街中兴路口一带，是新中国成立之初邢台市粮库位置所在。由于兴建一座粮库，揭开了邢台这座古城的身世之谜。

公元前17世纪，西方姜姓井族顺河东移，迁徙至此。这里百泉竞流，水土丰美，井族凿井筑邑，后合并"井""邑"为一字，这就是"邢"字的起源。

◎ 右页图　郭守敬纪念馆春花烂漫／视觉中国　供图

厚土之冀 025

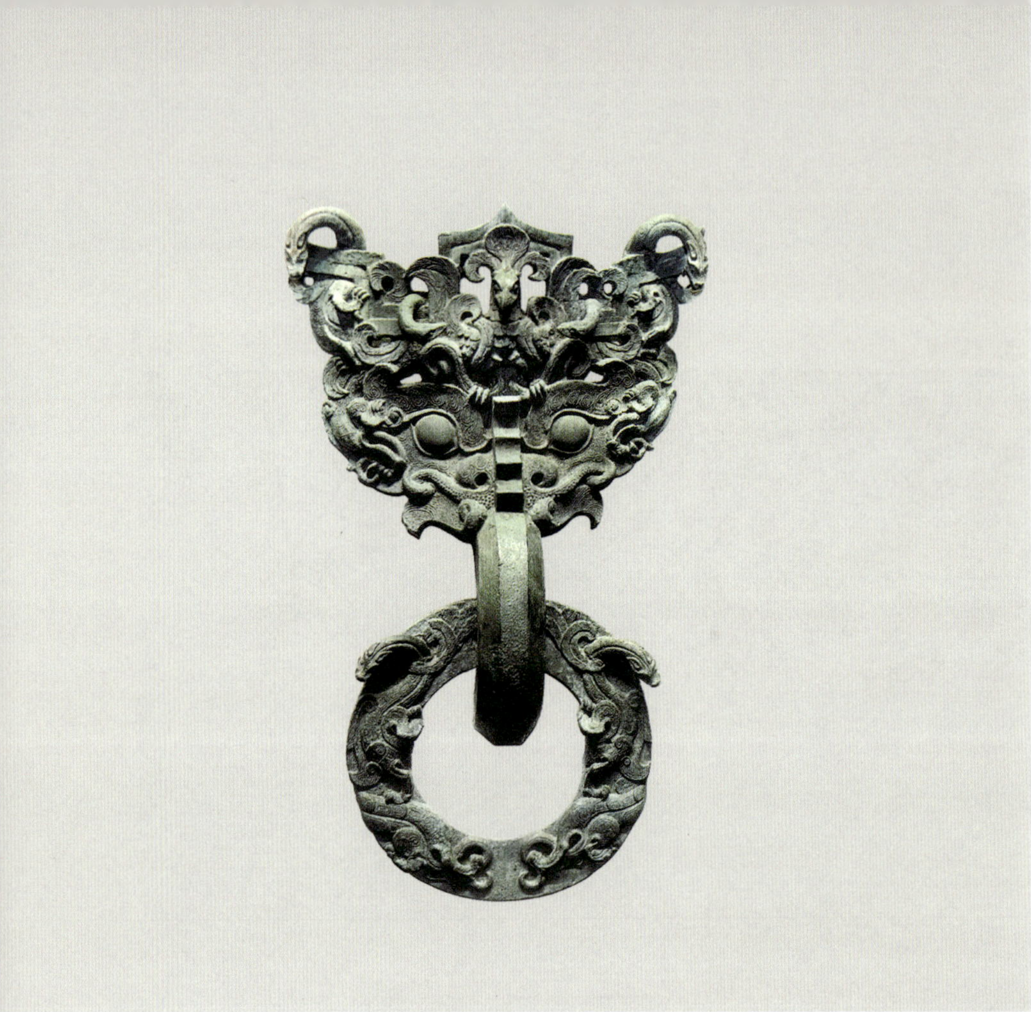

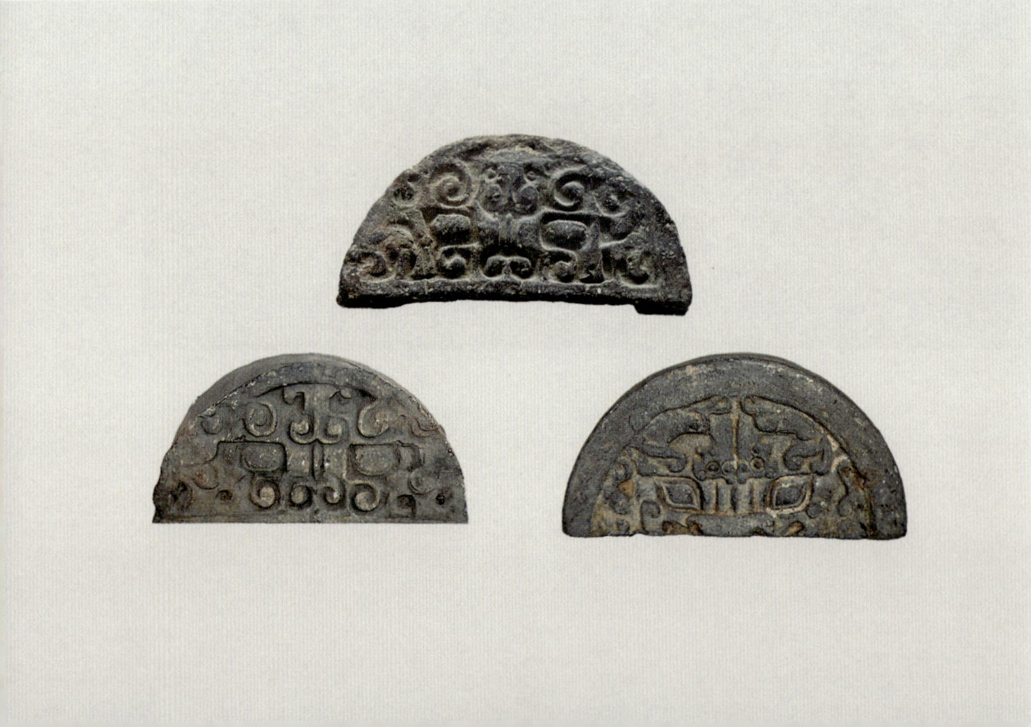

◎ 左页上图　透雕龙凤纹铜铺首/汇图网　供图
◎ 左页下组图　燕下都出土的瓦当/汇图网　供图

　　中国社会科学院院士、"中国申遗第一人"侯仁之在其博士论文中提到的燕国都城蓟城，位于太行山与燕山交界处的北京房山一带。

　　北京因为历史上曾是燕国的都城，素有燕京的旧称。但很多人不知道的是，燕国国力鼎盛时期所建的都城燕下都，位于同属于太行山东麓大道上的河北易县。

　　燕下都遗址，也是我国目前发现的面积最大的战国都城遗址。

其出土的透雕龙凤纹铜铺首，是河北博物院十大镇馆之宝之一。

　　而河北大学新校区，有一个燕下都瓦当艺术展室。自20世纪初至今百余年时间，燕下都出土了大量瓦当。这些瓦当纹饰种类多样，制作工艺精美，令人惊叹。通过一件件瓦当，同样可以窥见当时宫殿之壮美，都城之宏伟，国势之雄强。

　　2001年，燕下都遗址发掘工作入选"中国20世纪100项考古大发现"。

雄踞冀南平原的邯郸，是一座两千多年来未曾改名的城市，其建城史可以上溯到三千多年前。

邯郸城，同样是太行山东麓大道美丽古城"项链"上一颗璀璨的明珠。

今邯郸市西南，有一座气势恢宏的城市遗址——战国赵王城遗址。

遗址周围保留着高达数米、蜿蜒起伏的夯土城墙，内部为布局严整、星罗棋布的建筑基台，四周有多处城门遗迹。当时的邯郸城由"赵王城"（宫城）和"大北城"（居民城、郭城）两部分组成，总面积近十九平方千米。

更加神奇的是，两千多年过去了，如今的邯郸市区范围，几乎和战国时期的邯郸故城基本重合。

中国社会科学院学部委员王巍说，中国考古要见众生。令人欣慰的是，今天，不仅担负文明探源的学者把书斋搬到了考古现场，普通大众对考古的"狂热"，也前所未有。

文物的价值，遗址的价值，不能以金钱来衡量，用以衡量的，是一方水土的文化传统，是一方水土之上的文化自信和自强。

◎ 右页图　邯郸永年广府／视觉中国　供图

厚土之冀 第一单元 029

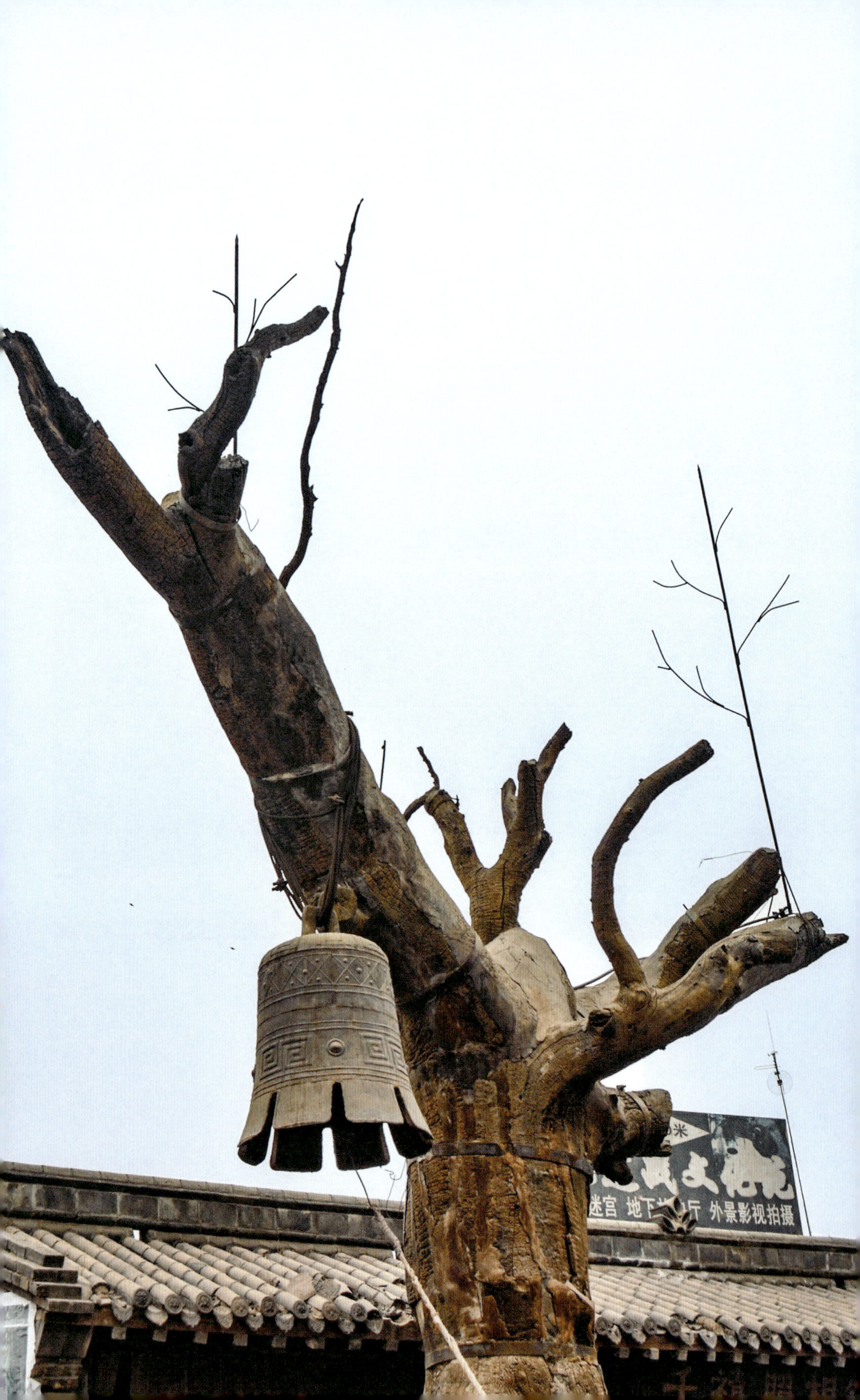
迷宫
外景影视拍摄

叁 >> 地道战，新英雄儿女传奇

地道战，是河北抗日军民的大发明。一说起地道战，很多人都会首先想到冉庄地道。

实际上，在广阔的河北平原上，当年地道的普及程度远超人们的想象。北起北京南郊，西到保定中南部，东到沧州以西、廊坊以南，南至衡水中北部地区以及邯郸地区，至今仍存在着一条抗日地道遗址带。

地道战，嘿，地道战，
埋伏下神兵千百万，
嘿，埋伏下神兵千百万。
千里大平原展开了游击战，
村与村，户与户，地道连成片。
…………

这是老电影《地道战》里的一首歌曲。电影讲述的是抗日战争时期冀中平原的军民为了摆脱被动挨打的局面，巧妙地挖掘地道，利用村庄的水井、树洞、石槽等各种设施做掩护，隐藏自己，有效打击敌人的故事。

◎ 左页图　冉庄村头的古槐铁钟／汇图网　供图

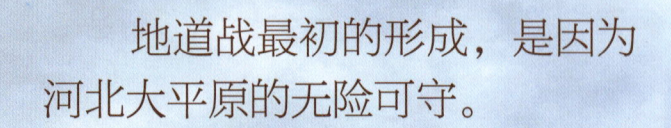

地道战最初的形成，是因为河北大平原的无险可守。

日伪占领城镇之后，平原上坚固的古城墙成为其据守的屏障。为此，冀中军分区发动了广泛的拆城运动。

半年时间，肃宁、高阳、蠡县……几十座县城的城墙，被军民含泪拆除。拆城之外，另一个大的工程悄然兴起，那就是挖地道。

为了长期坚持平原游击战，避免大量伤亡，冀中地区部分干部群众开始在野外挖地洞躲藏，后来又开始在村里秘密挖洞藏身。经过历次反"扫荡"斗争，这种斗争方式不断完善，逐渐形成后来人们熟悉的地道战战法。

而地道战能在冀中平原推广，还要归功于河北大平原这片坚实的土地。

◎ 冉庄地道战旧址／视觉中国　供图

厚土之冀 第一单元

◎ 右页图　宋辽古战道／视觉中国　供图

河北大地历经三百多万年沉积，形成厚度达三百至六百米的堆积层。这副坚实的"胸膛"，足以容纳智慧的英雄儿女在地道战中大逞英豪。

昔日的战场如今绿树婆娑、农舍俨然。当年战斗指挥部的老宅，墙上密密麻麻的枪眼和一张村里流传下来的作战地图，让人仿佛回到当年烽火连天的岁月。

野火烧不尽，春风吹又生。河北大平原，这片红色热土，演绎了多少不屈不挠、充满智慧的斗争故事！

地道战的发明，其历史可以上溯千年。

雄县，古称雄州，隋代设瓦桥关，与霸州益津关和淤口关，合称"三关"。北宋时期，这里是宋辽边界地区。古地道便是当年宋辽对峙的历史见证。

1951年，雄县一家住户室内突然塌陷，发现了一个地洞，洞的四壁有十几道小门，每个门连着一个地道，曲曲折折。洞内有小屋，屋里有炕，炕上还有未燃尽的蜡烛。

专家勘察认为，这些地道毫无疑问是用于军事用途的，比如地道口的水缸，平时储水用，在战时可以用来监听地面敌人的动静。

经过专家学者的多次论证，最终将古战道定名为"宋辽边关地道"。

厚土之冀　第一单元

平原畅阔

唐代大文学家韩愈《送董邵南游河北序》说："燕赵古称多感慨悲歌之士。"

的确，燕赵之地，古来忠勇好义。这块土地上英雄辈出，有"千场纵博家仍富，几度报仇身不死"的邯郸游侠；有"风萧萧兮易水寒，壮士一去兮不复还"的义士荆轲；有一身是胆，长坂坡单骑救主的常山赵子龙……

天地英雄气，注入红色文化的基因血脉，书写平原沃土的英雄史诗！

◎ 雄州仿古牌楼夜景／视觉中国　供图

肆 >> 西柏坡，一个需要永远铭记的村庄

　　巍巍太行山下，汤汤滹沱河岸，有一个美丽的小村庄，名叫西柏坡。

　　1948年5月26日，在中国新民主主义革命全国胜利的大转折之时，毛泽东同志率领中共中央机关和解放军总部移驻西柏坡，与先前一年到达的中央工委会合。之后

在十个月的时间里,党中央在这里运筹帷幄,先后指挥了大大小小很多战役,包括震惊中外的三大战役——辽沈战役、淮海战役和平津战役。

西柏坡是中国共产党解放全中国的最后一个农村指挥所,新中国从这里走来。

当年,党中央选址于西柏坡,与这里的自然、物产以及政治优势有着很大的关系。

西柏坡村地处太行山东麓,向东是冀中平原,向西

◎ 下图 空中俯瞰西柏坡/视觉中国 供图

是太行山脉,滹沱河成为天然屏障,是进可攻、退可守的天然要地。而平山境内有滹沱河和冶河两大河流,以及血管一样遍布山间盆地的支流。冲积层小平原一片连着一片,仅滹沱河两岸就有三十六滩,小的数百亩,大的数千亩,每年稻麦两熟,素有"滹沱百害,唯富平山"之说。可谓食有粮,居有衣。

当然,最重要的是政治优势,民可用,事能成。平山,有较早建立的坚强的党组织和深厚的群众基础。抗战时期,平山团令日本鬼子闻风丧胆,一个仅有二十五万人的县,前后有九万多人参军参战,五千多人为国捐躯。至今,西柏坡一带依然流行着这样一曲拥军小调:"最后的一碗米,用来做军粮;最后的一尺布,用来做军装;最后的老棉被,盖在担架上;最后的亲骨肉,送去上战场……"

在西柏坡纪念馆广场中央,矗立着著名的"赶考"铜像。铜像主题鲜明,寓意深远。毛泽东、朱德、刘少奇、周恩来、任弼时五大书记的形象栩栩如生。

1949年3月23日,毛泽东率领中共中央机关离开西柏坡前往北平。出发时,毛泽东对周恩来说,今天是进京

◎ 上图　西柏坡纪念馆铜像／昵图网　供图

的日子，进京"赶考"去。我们决不当李自成，我们都希望考个好成绩。仰望伟人铜像，"赶考"精神给我们一种坚定的信念和力量。

　　与铜像遥遥呼应，在党中央旧址院里，有一座庄严肃穆的小礼堂。当年的小礼堂，是党中央移驻西柏坡之后所建。1949年3月5日至13日，中国共产党七届二中全会就在那里召开。"夺取全国胜利，这只是万里长征走完了第一步……""务必使同志们继续地保持谦虚、谨

平原畅阔 042

慎、不骄、不躁的作风，务必使同志们继续地保持艰苦奋斗的作风……"那带着浓浓湖南口音的话语，从小礼堂传递到西柏坡高朗的天空，飘洒到全中国每一名共产党员的心田之上。

中共中央旧址院里，在一棵棵伟岸的泡桐树之间，分布着毛泽东、周恩来、朱德等老一辈无产阶级革命家的旧居，以及中央军委作战室等建筑。

旧居，其实就是普通的北方土坯房、土院子，家具、陈设十分简陋。就是这些其貌不扬的小院，创造了数不清的人间奇迹。

当年的中央军委作战室，面积不足七十平方米，只有三张桌子、两张地图、一部电话。在这里，中共中央运筹帷幄，指挥了决定中国命运的三大战役。

◎ 左页上左图　毛泽东旧居／视觉中国　供图
◎ 左页上右图　周恩来旧居／视觉中国　供图
◎ 左页下图　西柏坡新华通讯社旧址／汇图网　供图

◎ 右页图　革命圣地西柏坡纪念碑／视觉中国　供图

在西柏坡纪念馆内，有一幅浓墨重彩的三大战役巨型油画，鲜明生动地再现了毛泽东等老一辈无产阶级革命家高超的军事指挥艺术以及人民解放军的英勇善战。

从当年的小礼堂院向北，沿着缓坡而上约百米，是恶石沟掌，又称后沟。后沟是北南走向的一条干河沟，其中段西岸，曾有两个打麦场和一片小树林。1947年9月，全国土地会议就在这里召开，与会者坐在小板凳和石头上，进行了近两个月的研讨，《中国土地法大纲》就这样诞生了。

2013年7月11日，习近平总书记来到河北调研指导党的群众路线教育实践活动。在西柏坡，他告诫全党牢记"两个务必"，指出党面临的"赶考"远未结束。

今天的西柏坡村以及周围的所有村庄，在一代代勤劳勇敢、甘于奉献的父老乡亲手中，也正徐徐展开新时代乡村振兴的崭新画卷。

厚土之冀 第一单元 045

扫码听书

扫码看视频

第二单元

文心悠游

壹 >> 千载通衢，相约少年游

"世上本没有路，走的人多了，也便成了路。"走在而今作为景区的秦皇古道，蓦然想起鲁迅先生的名句。

秦皇古道，在河北省井陉县城东，长约百里。这条古驿道的历史可追溯到秦代，曾是古代燕赵通向秦晋的交通要隘。

秦始皇统一六国后，修筑了以咸阳为中心的驿道，井陉古驿道就是当时主干线上的重要一段。

公元前229年秦将王翦伐赵之战、公元前204年汉将韩信以少胜多的背水之战、1900年清将刘光才打响抵抗八国联军的庚子大战等战例都发生在这一带。

清末修筑正太铁路，这条险恶、难行的古道才渐渐地淡出人们的视野。

◎ 右页图　驿道车辙 / 昵图网　供图

秦皇古驿道

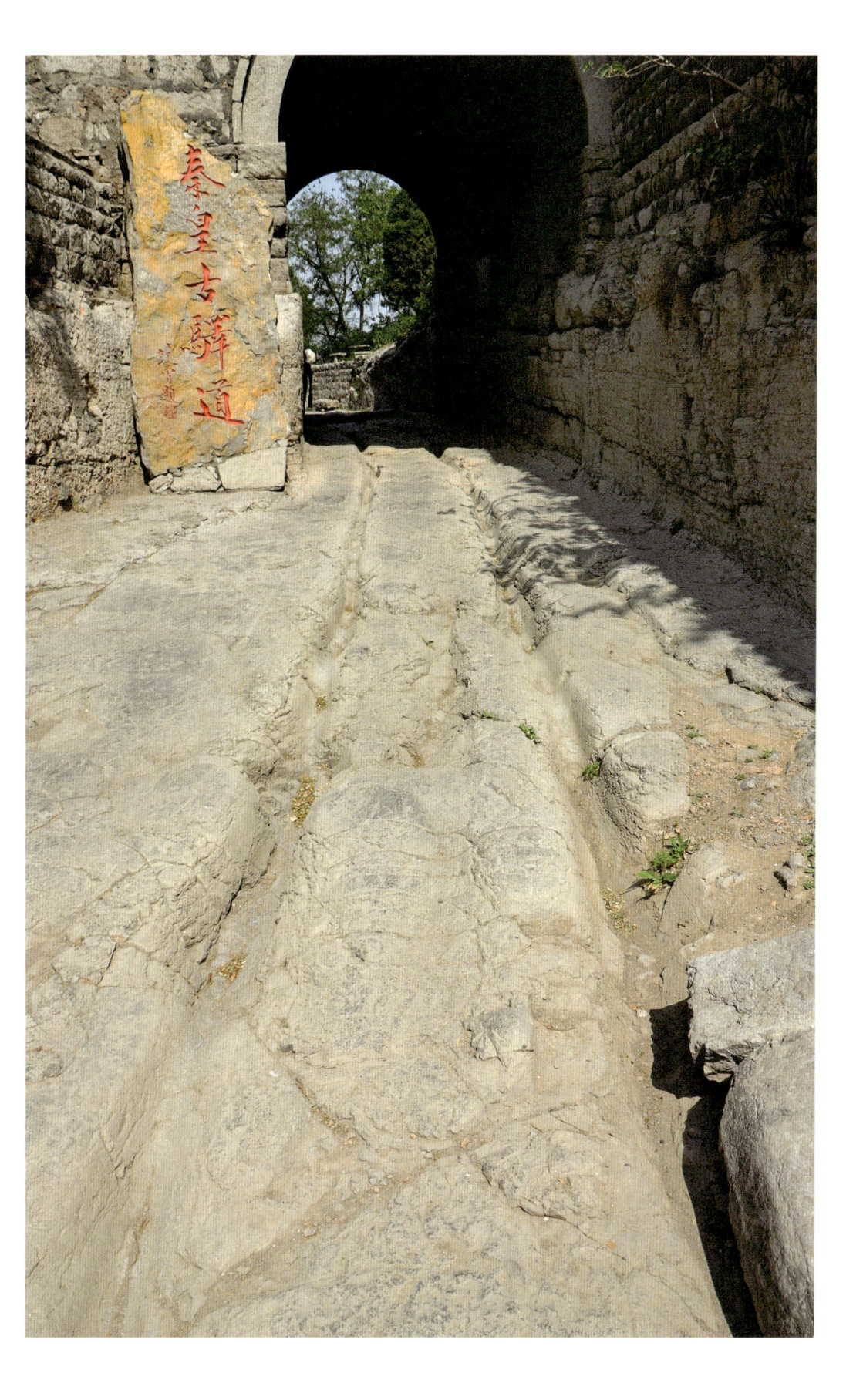

平原畅阔 050

◎ 左图　驿道关城门楼／昵图网　供图

　　绕过山口，一座雄关豁然出现，这就是扼守古驿道的东天门。东天门是一座关城，分东阁、西阁，两阁相距不足五十米。南北两峰直插两阁，阁在正中，如同两把铁锁，牢牢地封锁着关隘。

　　接近关城，古驿道渐渐出现了。两道车辙从门洞下穿过，又长又深，深深地镶嵌在深厚光滑的基岩路面里。铺路方石呈淡淡的青色，历经多少年的车轮碾轧、马蹄踩踏、风雨侵蚀，石块已经变得光滑如镜了。而路面上每隔二十米左右便砌有一道高高凸起的石槛，这一道道石槛是供重车

◎ 右页图　秦古驰道／视觉中国　供图

上坡时停歇和沿坡缓慢下滑而设的。可以想见，当年的辎重车辆通过这段路时有多么艰难、多么危险。

"太行山的路没有哪条比井陉重要，因为它是太行山里唯一可走大车的路。"中国现代地质学先驱丁文江先生曾如是说。

20世纪80年代改革开放之后，老百姓对路的重要性有了空前通透的理解，人们常说，"要想富，先修路"。数千年前，动员巨大社会资源修建的，主要是供帝王出行的驰道，以及用于军事目的和国家物资流通的驿道。

走过一段段古道，我们不由得赞佩当年决策者和设计者的开阔格局和智慧之选。

因着"南下北上""东出西联"独特的地理位置，河北大平原自古被赋予通联天下的重要地位。

最晚从春秋战国始，燕地重镇蓟（今北京）与中原古都殷（今安阳）之间形成了一条南北大通道。

秦统一六国后，在此基础上又修建了一条驰道。驰道宽达五十步，夯固路基，且植松为行道树，俨然是当时的高标准"国道"。

文心悠游 第二单元 053

今天，当我们在京广高铁上畅享"坐地日行八万里"，自驾于太行山高速以及京昆高速、京港澳高速等南北大动脉的河北段，何曾想到，这些现代化铁路、公路的选址与至少在两三千年前就已经肇始的太行山东麓大道基本"重合"！

1906年，平汉铁路全线通车；1907年，正太铁路建成通车（现为石太铁路），获鹿县城一些大的商号逐

渐东移石家庄，"旱码头"的使命也交接给新兴的铁路重镇石家庄。

然而，秦皇古驿道的故事并未终结。百余年间，这条穿越太行连通晋冀的东西通道，在现代交通修造技术的促动下，实现了脱胎换骨的蝶变。今天的青银高速公路和连接石家庄与太原两大省会城市的307国道，仍然沿用着这条通道的主体线路。

◎ 下图　石太铁路上的煤炭列车／视觉中国　供图

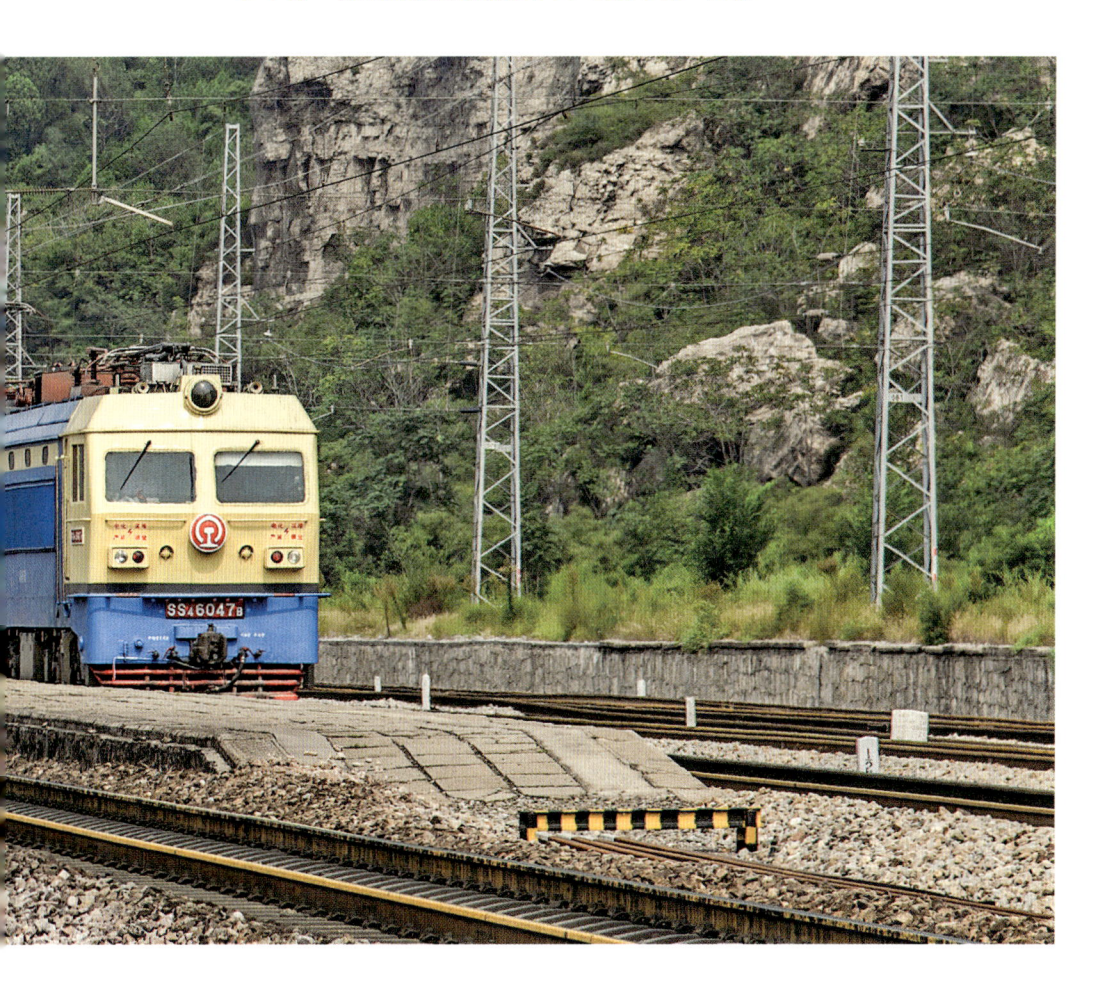

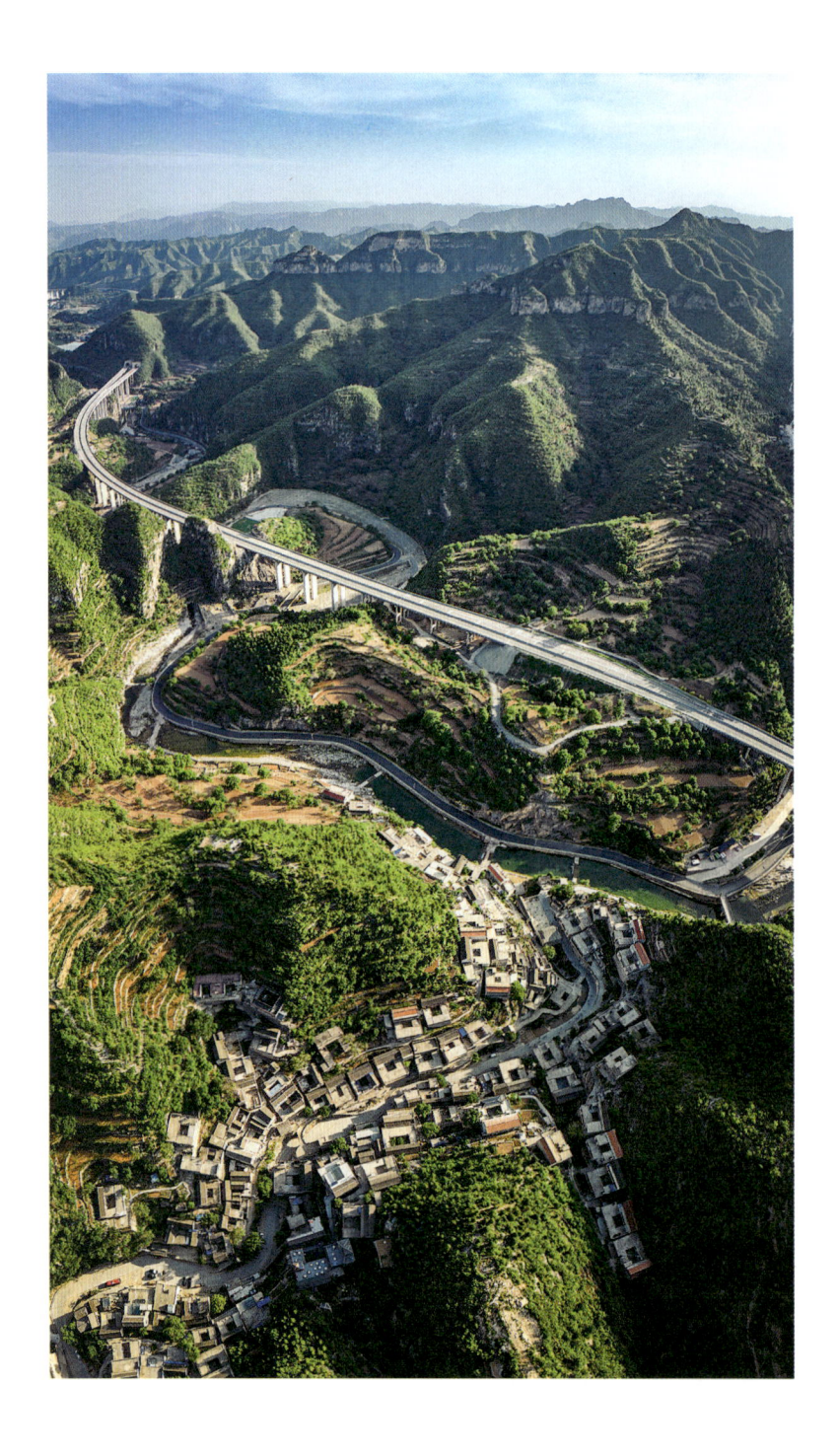

平原畅阔

这是一条贯通古今的咽喉要道，也是一条险绝、艰难的古道。"地崩山摧壮士死，然后天梯石栈相钩连。"大诗人李白描述修蜀道壮烈的诗句，用于这条通道上古往今来的建设者也是恰切的。

新中国成立后，石太铁路历经多次改造，从石家庄到太原间两百多公里的线路，运行时间缩短至五个小时。

2005年6月11日，新中国开工最早的高速铁路——石太客运专线开工建设。为解决太行山塑造的巨大海拔差等困难，设计者提出"逢山开路、遇沟搭桥"的响亮口号，建设大军苦战在崇山峻岭之间，凿通全长二万七千八百米、当时亚洲最长的太行山隧道，共计架设桥梁隧道三十二座，确保了专线的平顺性。

2009年4月1日，石太客运专线正式开通，一小时沟通石太，开创太行古道的时代新篇章。

石太客运专线，是河北交通进入新时代的一个经典范例。城际铁路、高铁、复兴号机组，这些几十年前打破脑袋也想象不出来的新鲜名词，像倏忽而来的春风，拥抱了我们每一个普通人的生活。

公路和铁路的变迁几乎并驾齐驱，迅速在河北大地结成一张越来越密集的交通网，连通平原、山区、高原，连通中国、世界。

◎ 左页图　高速路穿越崇山峻岭／汇图网　供图

同时，一条看不见的天梯——空港事业一夜架通，河北的人流、物流，不仅在地上风驰电掣，也如飞鸟般插上了天际翱翔的翅膀。

如何利用好区位交通优势？河北，要建设交通强省、物流强省。这是蓝图，也是答卷。

河北固安京东智能物流中心智能仓库内，京东AGV搬运机器人"地狼"，让人眼界大开。

在仓库拣货区，许多二维码被工工整整地以一米左右间距贴在地面。机器人靠识别这些二维码，来判定自己的位置。而它们的位置，也会实时显示在系统后台，哪些机器人在工作、哪些在充电、哪些在闲置，后台屏幕一目了然。而机器人托盘上放着什么货物、被拣走了几件、什么时候被谁拣走、仓库中的存储量还有多少，也都被系统记录在案。

◎ 右页上图　物流机器人／视觉中国　供图
◎ 右页下图　铁路货运／视觉中国　供图

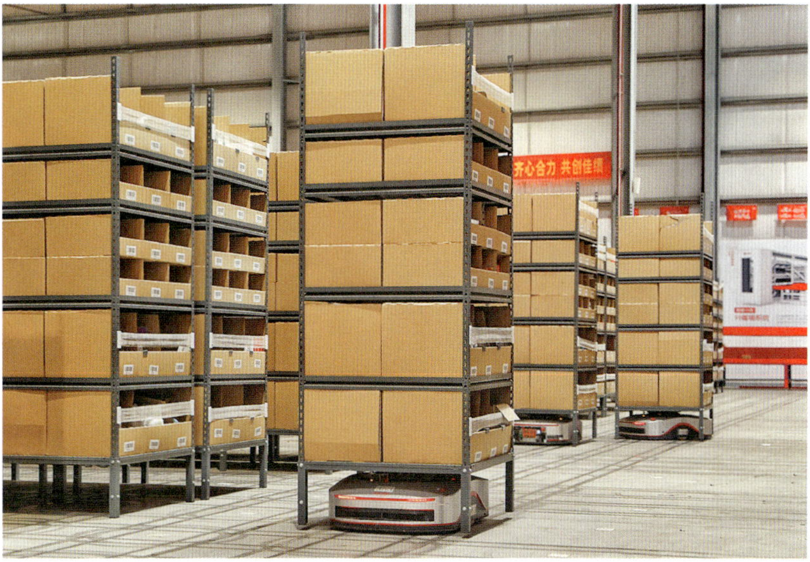
齐心合力 共创佳绩

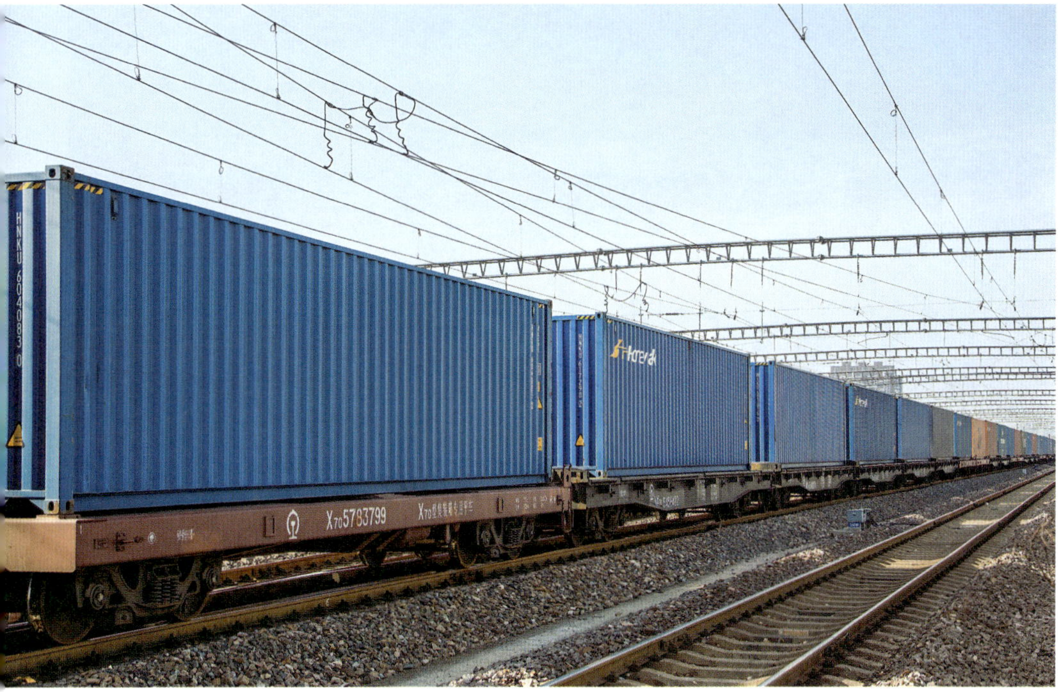

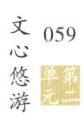

平原畅阔 060

廊坊、固安，不但是首都经济及物流区域支撑的重点城市，也是华北物流核心节点的最佳位置之一。固安位于北京、天津、保定三角腹地，它的区位和交通优势，是整个河北区位和交通重要性的一个缩影。

"这么近，那么美，周末到河北。"新时代的河北诗卷，定然有一章属于你和我的少年游。

◎ 左页图　固安县城／视觉中国　供图

贰 >> 河北四宝，无须仰视却巍峨

"沧州狮子定州塔，正定菩萨赵州桥"被称为河北四宝。

从沧州市区出发，至二十多公里外的沧县旧州镇，造访沧州铁狮子。高台之上，几十根铁锈红的支架簇拥着铁狮子的四条残腿。不用太贴近，也能清晰地看到铁狮子腐蚀严重，腿部断裂，几近瘫痪。

沧州铁狮子，至2023年正好一千零七十岁。

《沧县志》记载，铁狮子又名镇海吼，铸于后周广顺三年（953年），采用"泥范明浇法"分节叠铸而成。铁狮腹内光滑，外面拼以长宽三四十厘米不等的范块，逐层垒起，共用范五百四十四块。狮子通高五点四八米，通长六点五米，体宽三点一七米，重约二十九点三吨。它背负巨型莲花盆，头顶及项上各有"狮子王"三字，右项及牙边皆有"大周广顺三年铸"字样，左肋有

◎ 右页图　沧州铁狮子／汇图网　供图

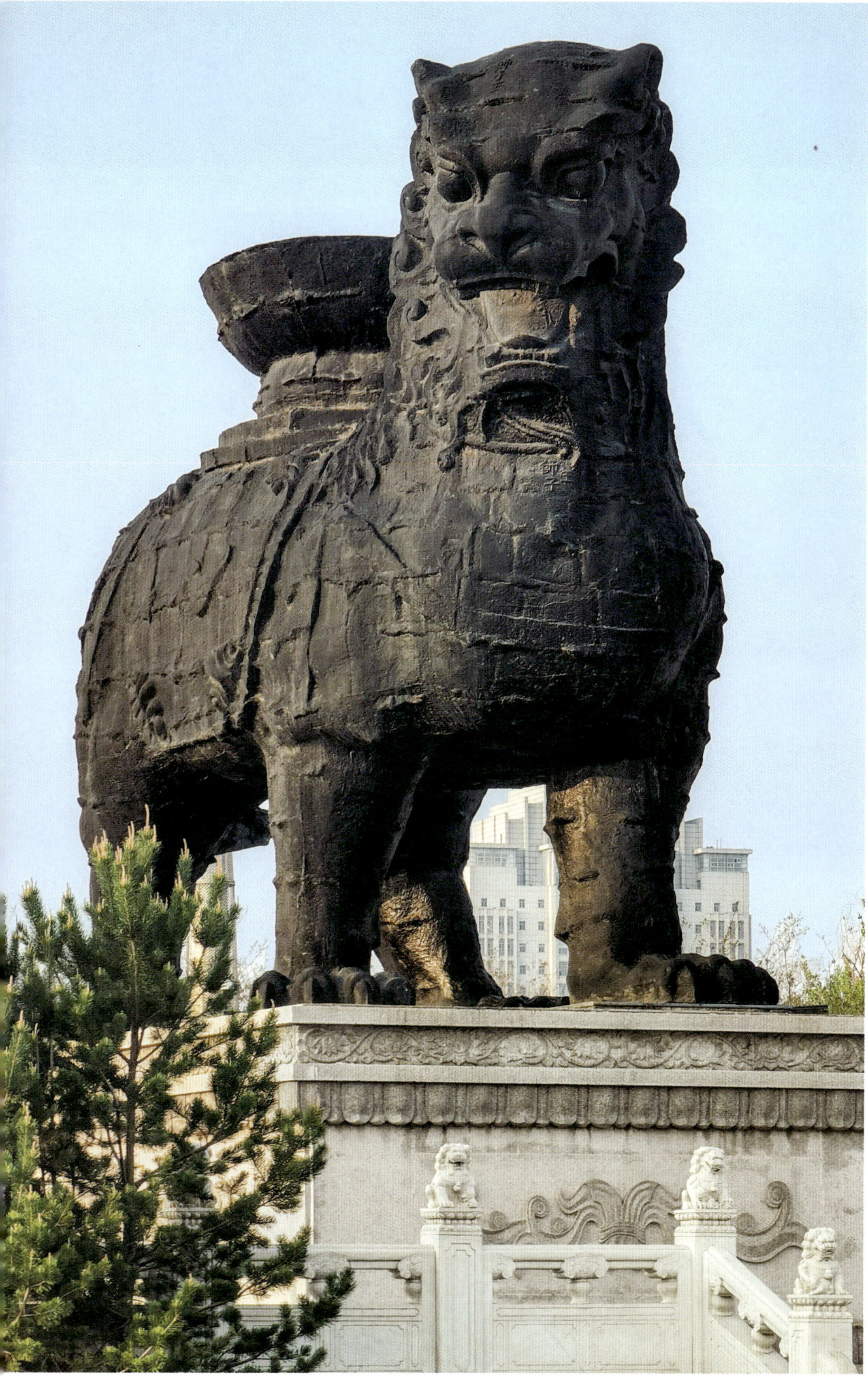

"山东李云造"五字。腹内、牙内外字迹甚多,有研究家认为是《金刚经》文。可惜,历经风雨,那些珍贵的文字多已漫漶或消弭,就连狮身上的毛发、束带等花纹,也经受着锈蚀的考验。

关于铁狮子,民间流传着多种说法:有人说是后周世宗北伐契丹时,为镇城而铸造;有人认为铁狮位于沧州开元寺前,腹内有经文且背负莲花宝座,所以是文殊菩萨的坐骑;还有人根据铁狮的别名"镇海吼",推测是当地人

◎ 左页上图　铁狮子头部／汇图网　供图
◎ 左页下图　铁狮子文殊菩萨莲座／汇图网　供图

们为镇海啸而建。专家考证，认为镇海的传说更为接近历史真实。

不管铁狮子到底身世如何，它都代表了一千多年前沧州铸造业的高度。

> 而铁狮子及其身上的纹饰、铸字，对研究古沧州的历史、文化、审美，更有着珍贵的史料价值。

《水浒传》"林冲发配沧州"的故事，让沧州这个名字在许多人心里打上穷困边远之地的烙印。而铁狮子以及20世纪90年代在其附近发现的"铁钱库"，为人们了解唐宋时期古渤海郡的真相，开辟了一道跨越时空的路径。

自汉置郡始，这一带在几个朝代都有着重要地位，坐拥北方大港，物阜民丰，甚至曾为鱼米之乡。后周时期能够铸造铁狮子，而宋时或有铁钱铸造、流通。铁狮子、铁钱，都是我们可以回望的历史坐标点。

国宝铁狮子，已值暮年。但它已经蚀坏的躯体，豪气不减，依然一副行走的姿态。它残缺的头，依然高昂着，面朝东方。铁狮子，不仅是沧州的城市名片、河北大平原的文化名片，也是一方人的精神图腾。也许，无人能够阻挡铁狮子物老而衰的遗憾，但其精神却可以永世不朽。

◎ 定州古城／杨丽影　摄

　　从沧州西望定州，直线距离约两百公里。当沧州铁狮子铸成四十八年之后，1001年，定州开元寺塔始建。它是中国最高大的砖木结构古塔，通高八十三点七米的高度纪录保持了近千年。直到1934年，高八十三点八米的亚洲第一高楼上海国际饭店落成，才比开元寺塔保持的纪录高了零点一米。

　　开元寺塔建成之时，正值宋辽对峙时期。当时，定州处于宋军驻守的前沿位置，常利用此塔瞭望敌情。在当时百姓住房多为平房土屋的冀中大平原，登上相当于今天近三十层楼高的开元寺塔，视野会多么开阔！开元寺塔，也因此被称为"瞭敌塔"。

　　开元寺塔为八角形楼阁建筑。塔身外部每层四个正方向辟门，四个侧方向辟彩绘盲窗。塔内结构为外塔体环抱内塔体，楼梯从内塔体穿心盘旋到达塔身顶部。外观塔身，底层阁楼作双重出檐，底檐砖砌，上层作砖雕仿木三跳斗拱，施彩绘，以上作叠涩出檐，形成塔身平台。开元寺塔建筑形式独具一格，秀丽丰满，挺拔大方，今天的建筑设计师，也未必能出其右。

第二单元

文心悠游

如此繁复精美的佛塔，花费五十多年才算完成。斥资几何，未见记载。但当地流传有"砍尽嘉山（在曲阳县）木，修成定县塔"之说。如此手笔，只能出自天家。

《定县志》记载，宋真宗于咸平四年（1001年）下诏建寺塔，是因一个叫会能的僧人，去西天取经得舍利子而归。史书记载，真宗后期尊崇道教搞大规模的东封西祀，如今看来，因为一颗舍利子而大兴土木，实在匪夷所思。定州塔开始建设的当年，真宗令军队屯驻定州，确有史料可查。

定州地处太行山东麓、河北平原西缘，自古有"九州咽喉地，神京扼要区"之称。定州塔建成之后，便被赋予了更多的军事意义。世相的偶然中，一定隐藏着历史的玄机。

欣逢昌隆盛事，相遇千年前的"中国第一高度"，令人惊叹于其建筑艺术的绝伦精妙。1961年，开元寺塔被确定为第一批全国重点文物保护单位，同时列入名册的古建及历史纪念建筑物全国共有七十七处，其历史文化价值的重要性可见一斑。

正定，和定州一样，位于太行山山前平原与洪冲积平原衔接的部分。

◎ 上图　正定古城／马常胜　摄

在农耕时代，这里既拥有山前平原土壤肥沃的优点，又拥有洪冲积平原平坦开阔的特点，加上地理位置四通八达，建城二千七百多年来，一直是华北平原上的重要城市，曾与北京、保定并称"北方三雄镇"。

平原畅阔

余秋雨在寻访正定古迹后曾这样写道："正定的历史文化积淀具有千古之美，令我震惊，让我找到了中国最兴盛时期带有神秘色彩的文化信号，也找到了中华文明最辉煌时期的图谱和证据。"

源远流长的历史，给正定留下了风格独特的名胜古迹，古城内佛刹林立，完整保存的晚唐、五代、宋、金、元、明、清等朝代的古建体系，被誉为"中国古代建筑艺术博物馆"。

◎ 正定古塔／高启然 摄

"三山不见，九桥不流。九楼四塔八大寺，二十四座金牌楼"，民间的顺口溜，自有一份文明富庶之地的骄傲。

正定隆兴寺绰号大佛寺，就是因为大悲阁内的千手千眼铜菩萨像。这尊佛像，据说曾让见多识广的梁思成都惊叹不已。佛之大者，中国第一铜佛像是也。

隆兴寺的宝物实在太多。

著名建筑学家梁思成先生在多次考察隆兴寺之后，兴奋不已，称摩尼殿为"艺臻极品"。

摩尼殿内坐南朝北的倒坐观音披巾如纱，项饰遮胸，露臂赤足，姿态闲逸，风度翩翩。鲁迅先生誉之为"东方美神"。

◎ 右页上图　倒坐观音像/视觉中国　供图
◎ 右页下左图　千手千眼菩萨像/视觉中国　供图
◎ 右页下右图　隆兴寺双面佛像/汇图网　供图

文心悠游

平原畅阔 074

> 隆兴寺的树也好看。大悲阁后，有寿槐，又叫"福树"。

"福树"是隆兴寺树龄最老的古槐，一千四百多岁，未有寺而先有树。相传，昔日宋太祖赵匡胤曾在此树下驻足观看，见有瑞鹤祥云绕于树端，经久不去。这一景象，坚定了他称帝后扩建隆兴寺的决心。

有人说，考察一个城市的文化，千万别忘了那些树。历经多少朝代更迭，有时树比建筑和人都坚强。如果一个城市的古木，受到了应有的善待和礼遇，从一个侧面说明，这个城市是具备人文情怀的。

大佛和古木，皆是正定这座平原重镇数千年繁华的见证者，常读常新。

◎ 左页图　隆兴寺内树木参天／昵图网　供图

◎ 右页上图　李春像／视觉中国　供图
◎ 右页下图　赵州桥／赵晓刚　摄

仲春时节，可以沿洨河而下，游览赵州桥。此时，古老的赵州桥已经属于赵州桥公园。公园里新桥老桥并置，桥畔榆叶梅朵朵开。

赵州桥是世界上现存最早、保存最完整的古代单孔敞肩石拱桥，其人类桥梁建造史上的历史地位和价值，无庸赘述。

同定州塔、隆兴寺一起，赵州桥也于1961年被列入第一批全国重点文物保护单位。

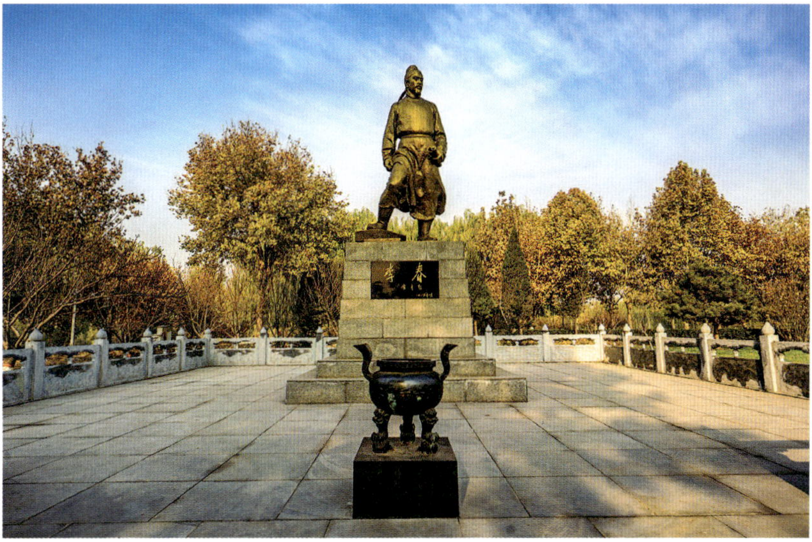
李春

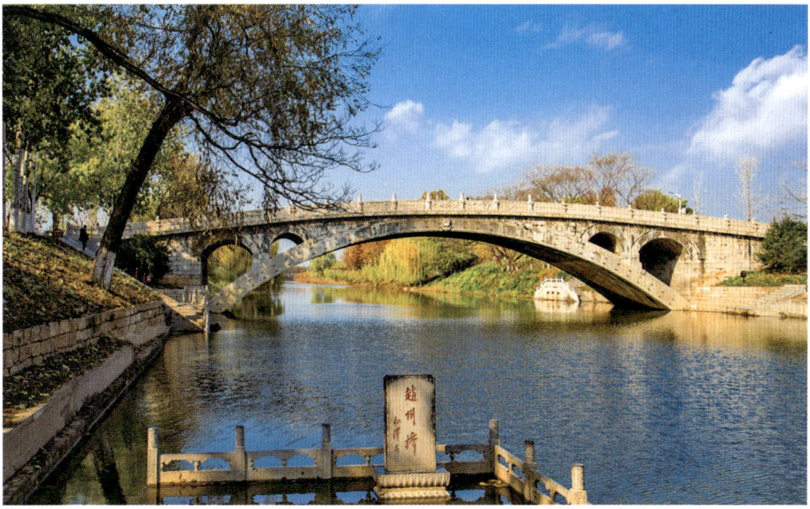
趙州橋

平原畅阔 078

◎ 左页上图
柏林禅寺观音殿／汇图网　供图
◎ 左页下图
"中国雪花梨之乡"赵县，梨花盛开／视觉中国　供图

589年，隋统一中国，结束了中国近三百年的分裂局面。此时，位于太行山东麓大道中段的赵州（今赵县），成为沟通南北交通的重要枢纽。从此出发，北可抵涿郡，南可达东京洛阳，交通十分繁忙。然而，这个重要的交通枢纽，却时常被汹涌的洨河所阻。隋大业元年（605年），由当时的能工巧匠李春设计建造赵州桥。

赵州桥，即安济桥，由宋哲宗赐名。在赵县，人们却亲切地叫它大石桥，以区别城外的小石桥。关于李春的生平，记载甚少。然而，这个创造中国桥梁史空前之举的大国工匠，他的名字会与一座桥同在。

虽然赵州桥的交通地位已不复往昔，但人们还是习惯来赵县看看大石桥，看看柏林禅寺，赏赏梨花。

赵县范庄二月二的龙牌会，热闹至极。在会上可以品尝地方特色菜——素大锅菜。

叁 >> 把盏品茗说古窑

几只质地粗糙、表面有些剥落的陶器，被专家称为素面夹砂陶，被陈列在邯郸磁山文化博物馆非常显眼的位置。

素面夹砂陶的出土，证明磁山地区是我国迄今已知最早烧制陶器的地区之一，比以人面鱼纹彩陶而闻名的半坡文化，还要早大约一千年。

陶瓷实际上是陶器和瓷器的合称。从陶到瓷，需要等待烧制工艺的划时代飞跃。简单来说，两者对于温度的要求有很大不同。从自然条件来看，烧造陶器的土，比烧制瓷器的土更为难得。当然，好的陶土亦十分讲究，并非从河底挖块红胶泥那么简单。瓷器的烧制需要一种特殊原料——瓷土。

◎ 右页上一图　陶釜陶支脚／汇图网　供图
◎ 右页上二图　四足石磨盘、石磨棒／汇图网　供图
◎ 右页上三图　三足陶钵／汇图网　供图
◎ 右页下图　磁山遗址骨鱼鳔／汇图网　供图

文心悠游 第一单元 081

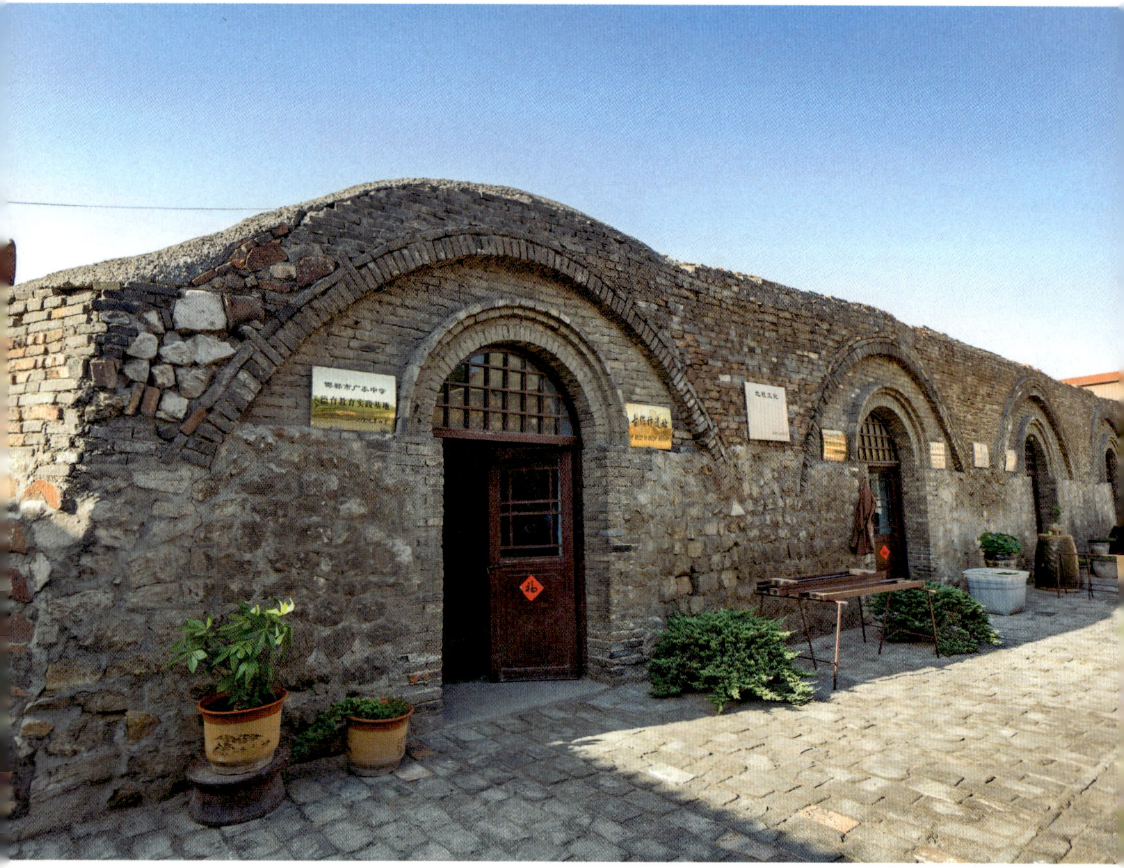

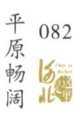

如果能够静下心来盘点一下河北著名古窑口的分布地点，不难发现，它们从南到北依次排列在太行山东麓山前平原上。原因很简单，有瓷土才能方便建窑。瓷土，是由云母和长石变质，并导致其中的钠、钾、钙、铁等金属元素不断流失而生成的一种资源，它们像铁矿、铜矿等矿产资源一样，是大自然的恩赐，有富和贫、优和劣等分别，最重要的是不可再生。

邯郸峰峰磁州窑盐店遗址博物馆内，存有元代、明代、民国窑址各一座，老作坊三间。

在彭城镇，大大小小的磁州窑窑址有数十处，而在地下数米到数十米深处，更是有数以百计的古窑址在沉睡。

磁州窑创烧于北宋中期，并达到鼎盛，南宋、元、明、清仍有延续，是中国古代北方最大的民窑体系，也是著名的民间瓷窑，有"南有景德，北有彭城"之说。其窑址在今河北省邯郸市峰峰矿区的彭城镇和磁县的观台镇一带，磁县宋代叫磁州，故名。

◎ 左页图　磁州窑遗址／视觉中国　供图

和邢窑、定窑等窑口相比，磁州窑的瓷土含杂质多，不纯。为了弥补先天不足，工匠们花费了很多的心思，在吸收传统水墨画和书法艺术技法基础上，创造了具有水墨画风的白地黑绘装饰艺术。几百年间，磁州窑创制诸多品种，以白地黑花、刻划花、窑变黑釉最为著名。它的装饰技法，突破了当时流行的五大官方名窑（汝、官、钧、哥、定）的单色釉局限，运用了数十种丰富多彩的装饰技法，可谓无中生有、独辟蹊径，对后来的很多名窑也产生了影响。

◎ 上图　磁州窑白釉划花缠枝纹碗／视觉中国　供图
◎ 下图　磁州窑白地黑花婴戏纹腰圆枕／汇图国　供图
◎ 右页图　磁州窑白地黑花凤纹罐／汇图国　供图

文心悠游

邢白瓷博物馆，是高低不同的碗形空间组合体建筑，设计精巧、漂亮，借鉴唐代白瓷的优美造型，寓意圆满吉祥，到内丘游玩的人，都想去打个卡。黄釉印花鸳鸯系扁壶，是该馆镇馆之宝，北朝时期邢瓷代表作，国家一级文物。壶置鸳鸯鸟首形系，饰鸳鸯雄鸟羽冠纹，系上有孔，以便穿绳提携。壶正面中间一对西域人，一个吹乐一个跳舞。这件扁壶融合了西方文化元素符号，可见邢窑早期的开放文明。邢窑隋代透影白瓷在灯光下具有透光感，胎釉一体，最薄处仅零点七毫米至一毫米。唐代著名诗人元稹有诗赞曰："七月调神曲，三春酿绿醽。雕镂荆玉盏，烘透内丘瓶。"

◎ 右图　邢白瓷博物馆／王宪臣　摄

文心悠游　第二单元　087

邢窑始烧于北朝，经历隋、初唐发展，唐代中期鼎盛，衰于五代，终于元代，烧造时间九百多年。其中年代较早的窑址有西坚固窑址、陈刘庄古窑址、邢台市顺德路窑址、内丘城关窑址。邢窑之所以能克服中国"早期白瓷"白中泛青的特点，在隋代由青瓷向白瓷成功转型，与瓷土质量、工艺技术有很大关系。得天独厚的河北山前平原，为中国瓷器提供了一种真正的、无可挑剔的白——"邢窑白"。

"邢窑是中国白瓷最有名、最早的窑口。在中国陶瓷史上，青瓷变白瓷是一个飞跃……谈中国白瓷，必须

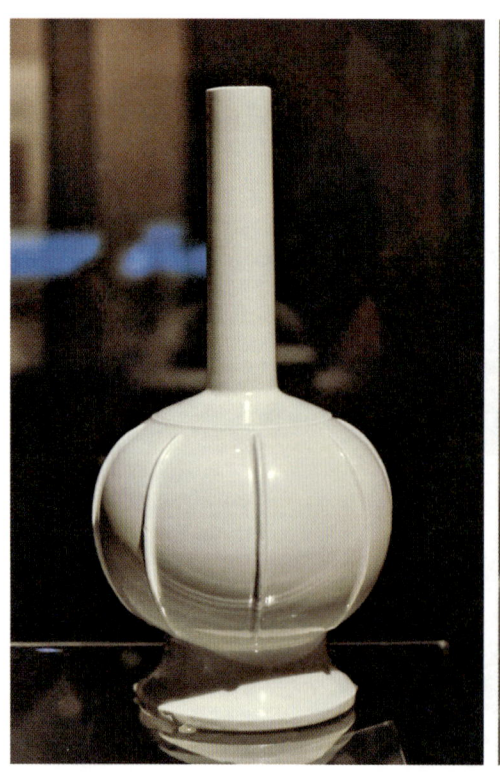

谈邢窑。"中国陶瓷考古权威叶喆民生前如此评价。

如果说邢窑的辉煌有着某种先天的幸运，那么定窑则在自然禀赋之上付出了更多属于后天的探究和努力。就像一个老天眷顾的人，又偏偏十分喜欢用功，还特别会用功。

定窑，是中国历史上贡御时间最长、文献记载最多的窑口，曾以生产洁白素雅的定瓷著称于世。对中国瓷器"白如玉、薄如纸、声如磬"的千古赞美，正是始于定瓷。作为宋代五大名窑中唯一一个烧制白瓷的窑口，定窑既不追求华丽的釉色，又改变了邢窑固守素器的

◎ 左页左图　邢白瓷瓷瓶／汇图网　供图
◎ 左页右图　邢白瓷瓷罐／视觉中国　供图
◎ 下图　邢白瓷执壶／汇图网　供图

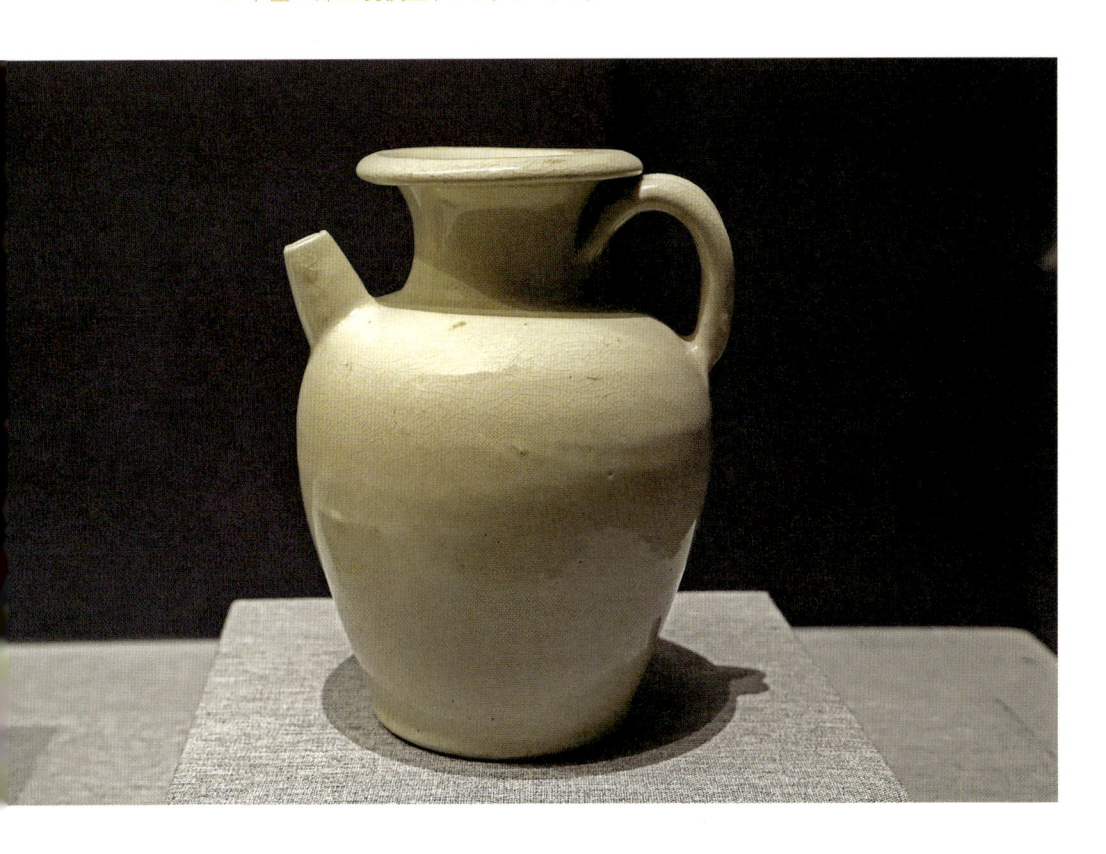

◎ 上图　定瓷白釉杯／汇图网　供图
◎ 下图　定瓷宋白釉印叶纹长方枕／汇图网　供图
◎ 右页图　定瓷白釉刻莲纹龙首净瓶／汇图网　供图

传统，它以灵动变化的装饰艺术见长，刀刻、竹划、模印……尽其所能。如今我们在素色陶瓷装饰上能看到的装饰技法，几乎都已被定窑探索到极其成熟的程度。如收藏家马未都所说，定窑白与邢窑白的区别，"不仅是技术上的革命，而且是思想上的飞跃"。

　　河北曲阳人，国家级非物质文化遗产项目定瓷烧制技艺代表性传承人陈文增先生，致力定窑恢复、研制工作三十余年。他成功地研制出定瓷特有的刻花刀具，单线刀、双线刀、组线刀，解开了古定瓷刻花之谜，打破了陶瓷史上定瓷双线纹样"刻一刀，复一刀"的说法，总结出"刀行形外，以线托形"的经典刻花理论；对宋代定窑窑具的设计、仰烧、覆烧、装烧空间的设置及不同产品的烧成曲线都给予科学的分析和研究，并用之于实践。而今，定窑成功走上"双创"之路，陈文增先生功不可没。

　　值得欣慰的是，河北几大古代窑口，在新时代工艺大师们的努力之下都重焕神采。遗址博物馆均开设了体验项目，每到节假日，老老少少的瓷艺爱好者纷至沓来。

扫码听书

扫码看视频

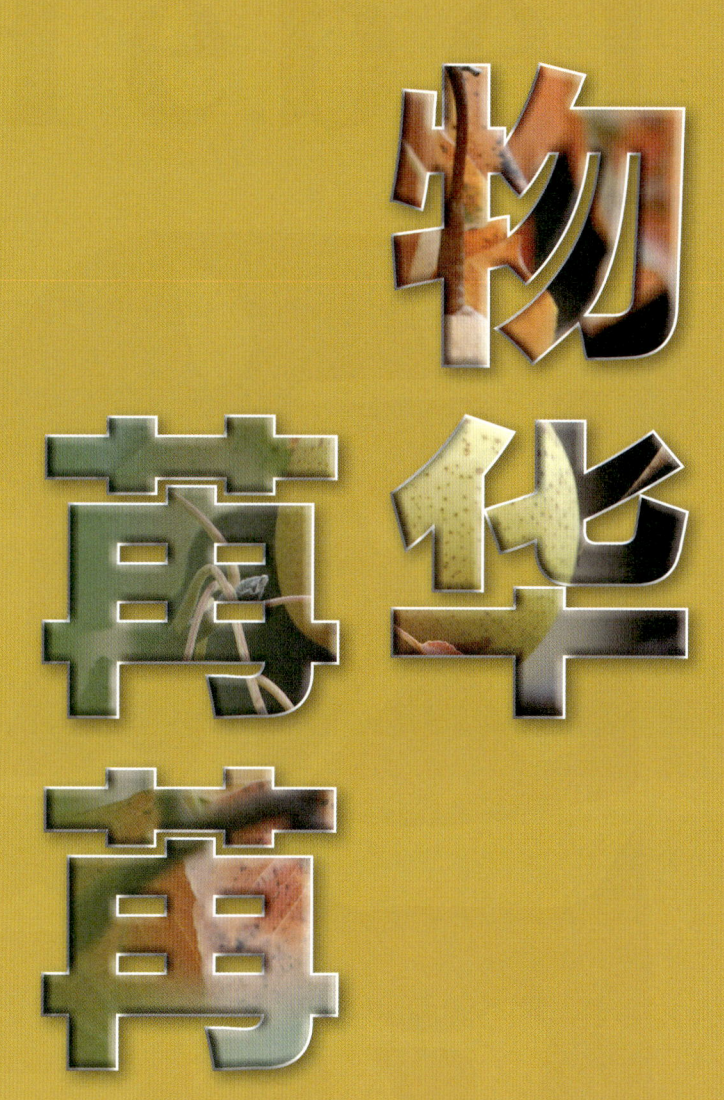

第三单元

物华苒苒

壹 >> 麦花香里说丰年

谷雨一升雨，芒种万斗麦。

沿正定段滹沱河边河北大道一路畅行，大片的麦田绿毯般直铺向天际。

细看，这绿毯中跳脱的，还有形状参差的鹅黄，那是正在盛开的油菜花。

谷雨时节的河北大地，有柏乡千年汉牡丹的雍容画框，有太行天路的绿带婆娑，有渤海岸边的鸥鸟翩翔。但我的心中，最畅阔最让人爱不够的风景，是这绵延千里生机勃勃的麦田。

冀中平原农谚："谷雨麦怀胎，立夏麦甩芒。"在时令的轴线中，麦子正徐徐展开一个个生动无比的细节。无论一目十行地速读，还是蹲下身子细细打量，都会带给人妙不可言的愉悦。

北纬36°至40°之间的膏腴平原，赋予河北农业独有的优势和禀赋。一年两熟，夏粮中麦子是绝对的王牌。

◎ 右页图　麦田／视觉中国　摄

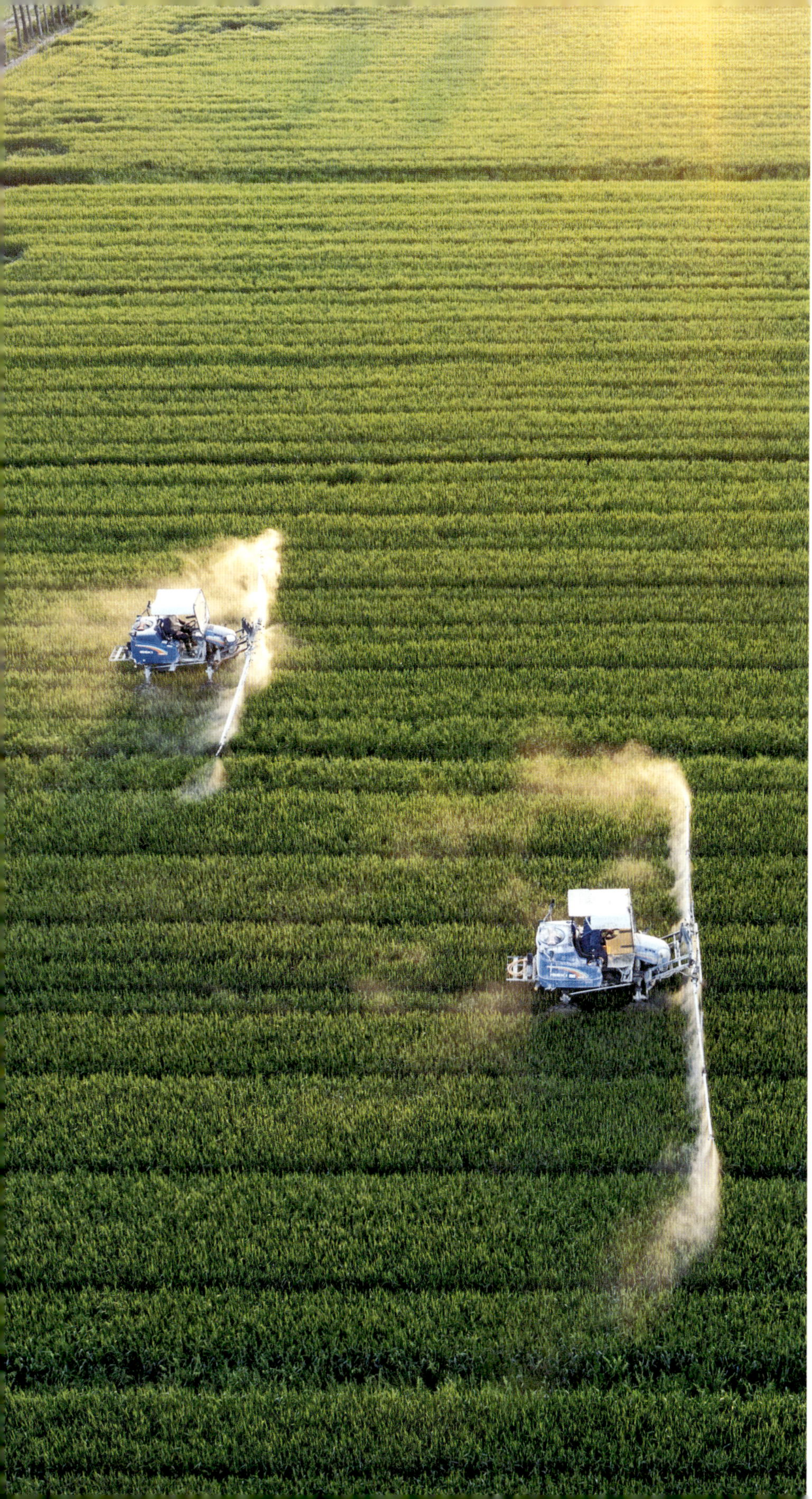

麦子，绿毯一样的麦子，绿浪一样的麦子，金灿灿的麦子，像诗歌一样微甜的麦子。河北大平原上，麦子的每一天都是史诗般的河北粮食史中的一个新鲜章节。

于是，麦田行旅，总是从立春起步，并一次又一次瞩望着芒种的盛大之享。

冀中农谚说，"芒种三天见麦茬"。但河北这么大，农谚只能应验于冀中。河北大平原的麦收序幕，每年都是由冀南之地在芒种之前拉开的。随着农村现代化场景的徐徐打开，镰刀霍霍、挥汗如雨的麦收场面早已成为过去。

◎ 下图　春播／苏丽荣　摄

平原畅阔

如今，你在冀南、冀中、冀东，随便邂逅一场麦收，眼前必定是大型收割机轰隆隆吞噬麦浪的壮观情景。安装了智能终端设备的收割机，自动准确计量收割面积，一台机子仅需一个人操作。半个多小时，在大型小麦联合收割机集体作业下，近百亩麦田就可以收割完成。联合收割机把小麦收入机斗的同时，其携带的秸秆粉碎机已经把秸秆粉碎还田。

这样的新农业场景，是不是同样可以成为邀约好友漫游河北的理由？

◎ 机械收割／张丽 摄

平原畅阔

夏粮之后，秋粮登场。小麦联合收割机还没退场，玉米深松播种机已经开始了深松播种。随着一粒粒玉米种子被精确地点入土地，紧随其后的自走式水肥一体机械也开始浇水施肥。

短短半天时间，小麦开镰收割、玉米播种即可全部完成。"夏收、夏种、夏管理"，二三十年前还要大忙一场的"三夏"，有"两夏"就这么被现代化的大型机械三下五除二解决了。

◎ 左页图　希望的田野／孟全军　摄

夏至、小暑之间，在几场风雨之后，大平原的玉米、大豆、谷子、薯类等重要农作物，次第在农业画轴上闪亮登场。而几个月之后的秋收秋种，同样交付给了魔法师一样伟力非凡的秋粮收割设备。

伴随着神奇的玉米收割机在大田里呼吸吐纳，金色的玉米粒子从机械管臂高高扬起的一个出口瀑布般倾泻于仓箱，农民沉浸在丰收的喜悦之中。

为这些小麦、玉米生产高度机械化作支撑的，除了技术的飞速进步，还有河北大平原独特的自然条件——平坦开阔。

占河北总面积43.4%的平原，是"华北粮仓"长成的自然地理基础。

"藏粮于地、藏粮于技"，我们的饭碗稳稳地端在自己手中。

物阜民丰。谷雨的雨，是这美好时代的赞美诗行，也是天随人愿的深深祝福。

◎ 右页组图　收获的喜悦／视觉中国　供图

物华苒苒　第三单元

平原畅阔

细说起来，河北大平原的小麦，只是一个共有的名字。它们有各自的学名，比如冀麦26、冀麦38、石家庄8号、石麦22、马兰1号。它们，有各自的品格，比如高产、抗风、节水。它们，有各自的用途，比如富硒小麦、黑小麦、强筋小麦。

强筋小麦，是河北小麦的当家品种。强筋，顾名思义，就是面筋含量高的小麦。

强筋小麦的面粉蛋白含量高、面筋强度高、延伸性好，最适于制作面包、汉堡、饺子、拉面等。

以藁城为代表的广大冀中南平原，是公认的最适宜强筋麦生长的区域。藁城区域种植的各种优质强筋小麦，已获得国家地理标志商标——"藁城藁优麦"。

如果说，在河北的大平原上，看麦子生长、收割，是享受永远不会疲惫的视觉盛宴，那么面粉经过深加工后营养和口感丰富的河北面食，则会让你大饱口福。

◎ 左页图　金色麦穗／视觉中国　供图

贰 >> 梨香故道溶溶月

清明前后，一定要来河北看梨花。

石黄、石津、曲港、大广、京港澳、京昆、太行山高速……无论你从哪条高速公路进入河北，都会遇到一场梨花盛事。沿着石黄高速公路在夜色中行车，两侧梨园星星一般繁密的梨花白，如梦似幻，恍若仙境。

毫不夸张地说，河北的梨花节，是全境全景式的，是随着高速公路上的车流一起流淌的。

从冀南的魏县、临城，冀中的赵县、晋州、辛集、博野、饶阳、肃宁，冀西的曲阳、阜平，冀东的玉田、迁西、丰南，到大运河沿岸的泊头、青县、沧县，一片片古梨林，一片片香雪海，令人目不暇接。

◎ 右页图　高速边的梨林／视觉中国　供图

第三单元　物华苒苒

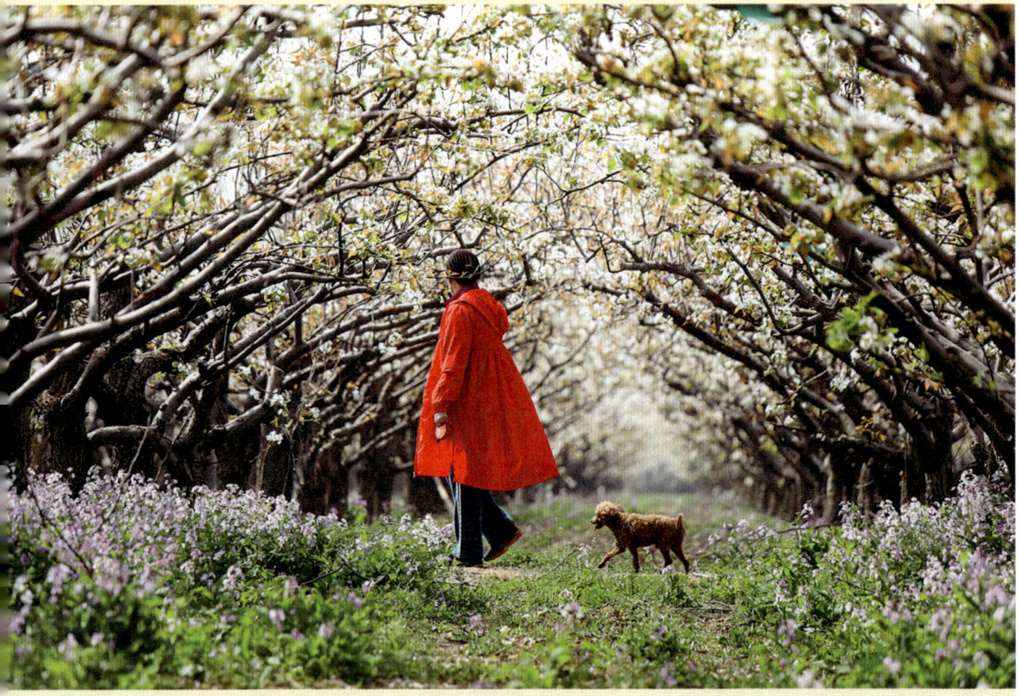

> 河北的梨花风景，襟怀阔大；河北的梨果，鲜甜、多汁、肉厚、少渣。

历史上古河流长期冲积而成的古河道，在这片肥沃的大平原上纵横交错，形成了神奇的"古河道效应"，为河北的果树生长提供了绝佳的土壤水肥条件。

而典型的温带大陆性季风气候，又带来了分明的四季变化，天造地设的地理环境，让河北成为国际上公认的北方落叶果树最佳适生区域之一。

肃宁曾有滹沱河的一条小小支流，名字叫老唐河。这从远古流淌而来的小河，那时滋养了一方土地，也滋养了一方富庶、一方文明。20世纪60年代后逐渐废弃，如今只余故道及若隐若现的堤坡。

被称为"梨花村"的吕庄，地处老唐河西河湾。哗啦啦的流水声和热闹的橹声帆影，停泊在时光左岸。天籁依在，却是风过梨林，绿涛的合奏。

◎ 左页图　漫步梨园／刘东兴　摄

是的，是梨林，而非梨园，有自然的野性和历史的浩瀚在。老唐河断流了，消失了，却把一群坚守者送入历史的前台——那是一棵又一棵几百岁的老梨树。

老梨树生于堤，生于坡，生于故道，壮年汉子的爷爷不知其岁，爷爷的爷爷亦不知其岁。

一棵树，儿孙满堂，旁逸斜出，繁衍成家族、世系，而那些世祖们还健朗地活着，继续生儿育女，继续硕果满枝。这样的故事，只有在古老的半天然的梨林能发生。

老唐河的梨林，曾产下多少果实，回报养育她的皇天后土、勤谨百姓！这块土地，得河水的泽被，沙壤肥沃，雨水充沛。

这里的鸭梨，果形端庄、色泽鲜亮、甜脆无渣。明朝时，湾里鸭梨即被指定为皇宫贡品。20世纪50年代后，老唐河鸭梨成批量经天津口岸外销，为新中国的发展建设作出贡献。

古河道，一条条梨果的走廊！今天，行走在河北境内的高速公路，能够享有邂逅梨乡香雪海的眼福，是因为这些高速公路正好与河流故道重叠或交叉而过。

◎ 右页图　老梨树／汇图网　供图

第三单元

物华苒苒

平原畅涧

赵县雪花梨、魏县—辛集—晋州—泊头一带的鸭梨，其主要种植区域，几乎都分布在古河道上。在相似纬度和光热条件下，河北的平原古河道密度，堪称绝无仅有。

显著的古河道效应，是大自然对燕赵大地的特殊恩赐。

品质优良的赵县雪花梨，果肉洁白如玉、似霜如雪，有冰糖味和特殊的怡人香气，贮藏后，果皮渐呈金黄色，具有明显的浅褐色斑点，因而获得"雪花梨"的雅称。

赵县雪花梨之所以名扬中外，与肃宁"梨花村"的鸭梨一样，与古河道效应密不可分。

地处冀中平原的赵县，大部分地区位于滹沱河古河道上。在古河道效应影响下，数万年来，赵县形成了表土疏松、透气性良好的粉质沙壤土。这种土壤，最适合种植梨树。独特的土壤条件，加上热量充足、灌溉便利，造就了赵县雪花梨独特的口感和品质。

与一些早熟品种梨不同，赵县雪花梨的成熟期在9月中旬以后。每年8月开始，地处温带季风气候带的赵县雨量开始减少，热量依然充足。充分的光合作用带来的糖分积累，是雪花梨好吃的秘密所在。

◎ 左页图　赵县梨花／赵青山　摄

成熟期最后一个月，是雪花梨累积含糖量、增加风味、减少石细胞的最关键时期。8月份就摘下来的梨，硬，含糖量不够，发酸，梨味不足，渣也格外多。虽然外形、个头已经和完全成熟的雪花梨区别不大，但口感上却有云泥之别。

梨，是原产中国的古老果树树种。这种属于蔷薇科苹果亚科的北方常见水果，在古代被称为"百果之宗"。河北，正是这种古老水果的原产地之一。

同处于滹沱河古河道带的晋州，有着和赵县一样适合梨树生长的沙壤土，是河北梨的另一个重要产地。但大自然的微妙和神奇，却让与赵县接壤的晋州，孕育出不同于雪花梨的另一种梨——鸭梨。

鸭梨果实呈倒卵圆形，近果柄处有一鸭头状突起，形似鸭头，故而得名。

在梨乡，高枝嫁接、疏花、疏果、无公害管理等新技术、新理念已经被梨农所熟稔。鸭梨古树，可以嫁接皇冠、红皮酥梨、玉露香梨。

在现代商业和物流业的帮助下，梨子，这种用清香甜蜜滋养了中国人几千年的古老水果，正以前所未有的速度走向世界。据说，每两个出口的鲜梨里，至少有一个来自河北。

◎ 右页图　鸭梨／视觉中国　供图

第三单元

物华苒苒

平原畅阔 116

叁 >> 人面桃花相映红

小镇边上的一片桃树苗圃，密匝匝的，林内间或杂生着几株李子、海棠果和杏树。

所有的树，都是满枝满枝的繁花，没有约束地生长着，野性而狂放。

即使艺术家的眼睛再挑剔，也会被这里的美所折服。春天，在桃林摄影、写生、谈情说爱，都是不错的。特别是晨昏，它简直就是小镇的一件梦衣裳，俊逸洒脱而诗意。

可是，这座苗圃，并非是为着人们来欣赏的。它只是桃树的摇篮或幼儿园，过不了多久，这些身材品性皆好的桃树，就会被成百上千地销售出去，充盈一个个新的桃园，装点其他桃园的门扉。

◎ 左页图　人面桃花／视觉中国　供图

在冀中，滹沱河两岸，桃树在人们心中是非常有位置的果树。如果某个村庄没有桃园，或者某个农家院落没棵桃树，简直是不可思议的。枣花蜜、早久宝、晚久宝、京十四、冬寿桃……入夏后，在乡间公路两侧，在高速公路服务区，一箱箱水润甘甜的桃子，就是河北平原物产的首席代言者。

当然，不可胜数的桃子品种里，最知名的要数深州蜜桃。

跟水蜜桃不同，深州蜜桃的果肉致密，改刀后有型有款。这种桃子的含糖量极高，果汁很是浓稠。专家鉴定，其可溶性固形物含量一般在12%以上，最高可达20%。核心产地经过科学管理的深州蜜桃，含糖量一般在13%以上，最高的甚至会超过测糖仪32%的刻度上限！

一般的桃、梨、葡萄，这些北方水果含糖量往往只有8%～10%，苹果、荔枝等甜味更浓的水果，含糖量也往往只在9%～13%之间，含糖量超过14%的水果，除了柿子，通常就只有南方出产的桂圆、香蕉等了。所以，深州蜜桃，可是名副其实的"蜜"桃啊！

◎ 右页图　硕果累累／昵图网　供图

第三单元

物华苒苒

平原畅阔

深州与蜜桃的"缘分",可以追溯到西汉初年——那时,这片土地就叫"桃县"。两千多年间,朝代更迭,地名数变,蜜桃却始终与这方水土延续着古老的约定。

每年8月下旬到9月上旬,短短的二十天时间,是深州蜜桃成熟的时节。每到这个时候,都会有数万名游客到深州的蜜桃种植园,一品深州蜜桃的味道。

虽然和普通桃子相比,每个深州蜜桃都称得上"价格不菲",但人们在采摘品尝之余,几乎都要带走不少,或带回家自己享用,或带给亲朋好友。

历史上达到贡品级别的深州蜜桃,只有那一小块土地上能长出来,产量有限。

为取得最佳的熟果品质,深州蜜桃采摘期很短。果皮纤薄、口感软滑甜蜜、汁多而浓等在口感方面的优点,也成为储存、运输时的弱点。蜜桃装箱后,只能储存七天左右。

深州蜜桃对采光要求很高,桃园里桃树植株的行距和株距通常分别达到六米和八米,枝条要充分展开。

◎ 左页图　在桃园中劳作／视觉中国　供图

除了行距和株距，坚持整个生长过程全程有机肥，也是深州蜜桃古法种植的关键。而最关键、最不可模仿的奥秘，在于核心产区的水土。多年来，无数外地果农试图对深州蜜桃进行引进种植，但口感和品质却总是与深州本地蜜桃相差甚远。在深州，甚至流传着"离开马庄几里，蜜桃味道都不一样"的说法。

神奇的深州蜜桃，不禁令人想起唐代崔护那首《题都城南庄》："去年今日此门中，人面桃花相映红。人

面不知何处去,桃花依旧笑春风。"

桃花,时而是仲春三月碧叶红蕾的一枝,遥遥地伸过农家的土院墙;时而是一个穿桃花衫子的青葱女孩,茸茸的睫毛,黑白分明的眼睛,背后一根二尺长的麻花辫;时而又是六月树梢头丰腴的果子,那朝阳的一面,刚涂了淡淡的腮红。

春天里,桃风拂面。可约三两好友,走到桃园深处,品一杯桃花茶,吃一席桃花宴,做一回桃花源人。

◎ 下图　桃花盛开/视觉中国　供图

肆 >> 葡萄美酒夜光杯

乡野、山丘的葡萄熟了，甜中带涩的果香，从四面涌来，泛着紫色的微芒。

怀来，南面军都山，北靠燕山，中部是河谷平川，形成"两山夹一湖"的独特地貌。群山环抱，桑干河、洋河、永定河横贯其中，而强劲的季风不仅吹走了雾霾和霜冻，带来干燥的空气，也让葡萄园很少发生严重病虫害。

早在一千三百年之前，怀来、宣化一带就开始种植葡萄。除了酿酒葡萄，还有闻名遐迩的鲜食品种——白牛奶葡萄和龙眼葡萄。

"葡萄好，酒才好。"这是怀来人最喜欢说的一句话。

1979年，新中国第一个按照酒庄模式建造的葡萄酒庄园——长城桑干酒庄诞生。中国第一瓶干白葡萄酒、第一瓶传统法起泡葡萄酒，也在那一年诞生。

◎ 右页图　白牛奶葡萄／视觉中国　供图

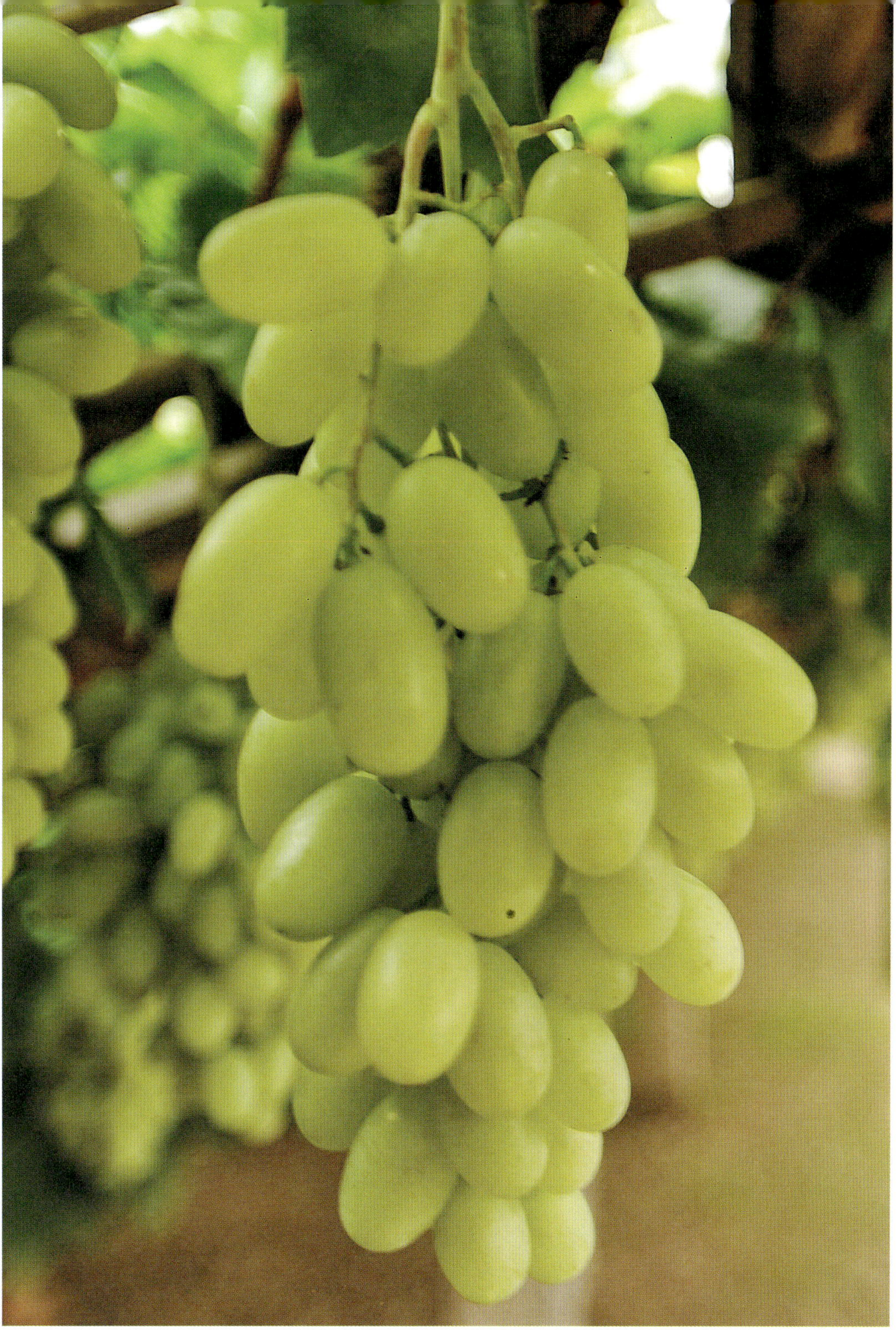

平原畅阔

◎ 左图　龙眼葡萄／视觉中国　供图

如今，桑干酒庄地下酒窖里，有数以千计的橡木桶。陈酿葡萄酒的混合香气，充满地窖。

各类在发酵罐中完成发酵的葡萄酒，在酒窖进行长达数月到数年不等的陈放。

与怀来、宣化处于同纬度的秦皇岛昌黎，是金牌酿酒葡萄赤霞珠的产地。

"葡萄美酒夜光杯，欲饮琵琶马上催。醉卧沙场君莫笑，古来征战几人回"，王翰的《凉州词》可谓千古绝唱。葡萄、琵琶、夜光杯，密集的意象，至今读来仍会让人内心丝丝缕缕地疼。

自西汉葡萄和琵琶分别经由西域传入中国，至唐朝天宝年间，这两样东西都已渐渐融入中国人的血脉，至少是得到了认同。怀来、宣化的葡萄，大约就是引种于唐玄宗时期。

就连张骞也不会想到，他从地中海带回的葡萄一路传到东方，每到一地都大受

©葡萄酒地下酒窖／视觉中国　供图

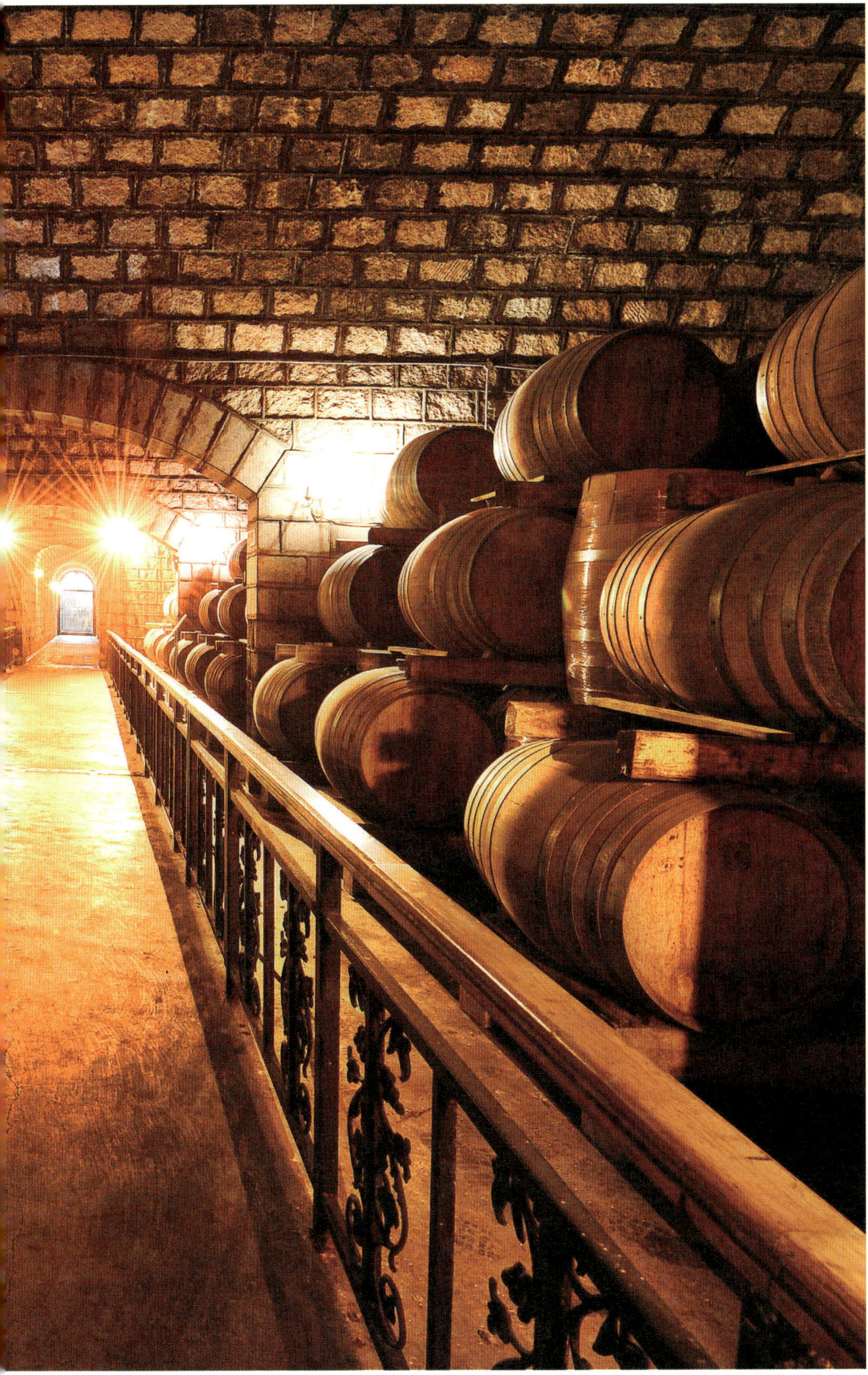

欢迎。而两千多年后，在北纬40°的中国北部，桑干河、永定河岸边的怀来、宣化，渤海之滨的昌黎，葡萄种植、葡萄酒加工产业名声日隆，成为与法国波尔多、美国加利福尼亚齐名的世界葡萄种植三大黄金地带。

与葡萄、石榴具有漫长的引进史不同，草莓引种到中国仅仅百年。

在中国北方，草莓走入寻常百姓家，正是从河北满城引种草莓开始的。

这种水果很快风靡于城市，每到草莓成熟的季节，许多城市居民就会呼朋唤友前往乡村的草莓种植园。他们在那里亲手采摘，时而品尝草莓，时而拍照，在欢声笑语中，尽情享受田园的悠闲与惬意。

河北平原，北起燕山，南到黄河，西依太行，东至渤海，流域面积三十一万平方公里。差异化的地质、气候条件，为农林作物的丰富性和包容性奠定了根基。就像河北人的性格，包容、诚毅、智慧。

呼啸而过的日子，自酿红酒，该算原色的真味。

◎ 右页上左图　赤霞珠葡萄／视觉中国　供图
◎ 右页上右图　石榴／视觉中国　供图
◎ 右页下图　草莓采摘／视觉中国　供图

第三单元

物华苒苒

扫码听书

扫码看视频

第四单元

一方水土

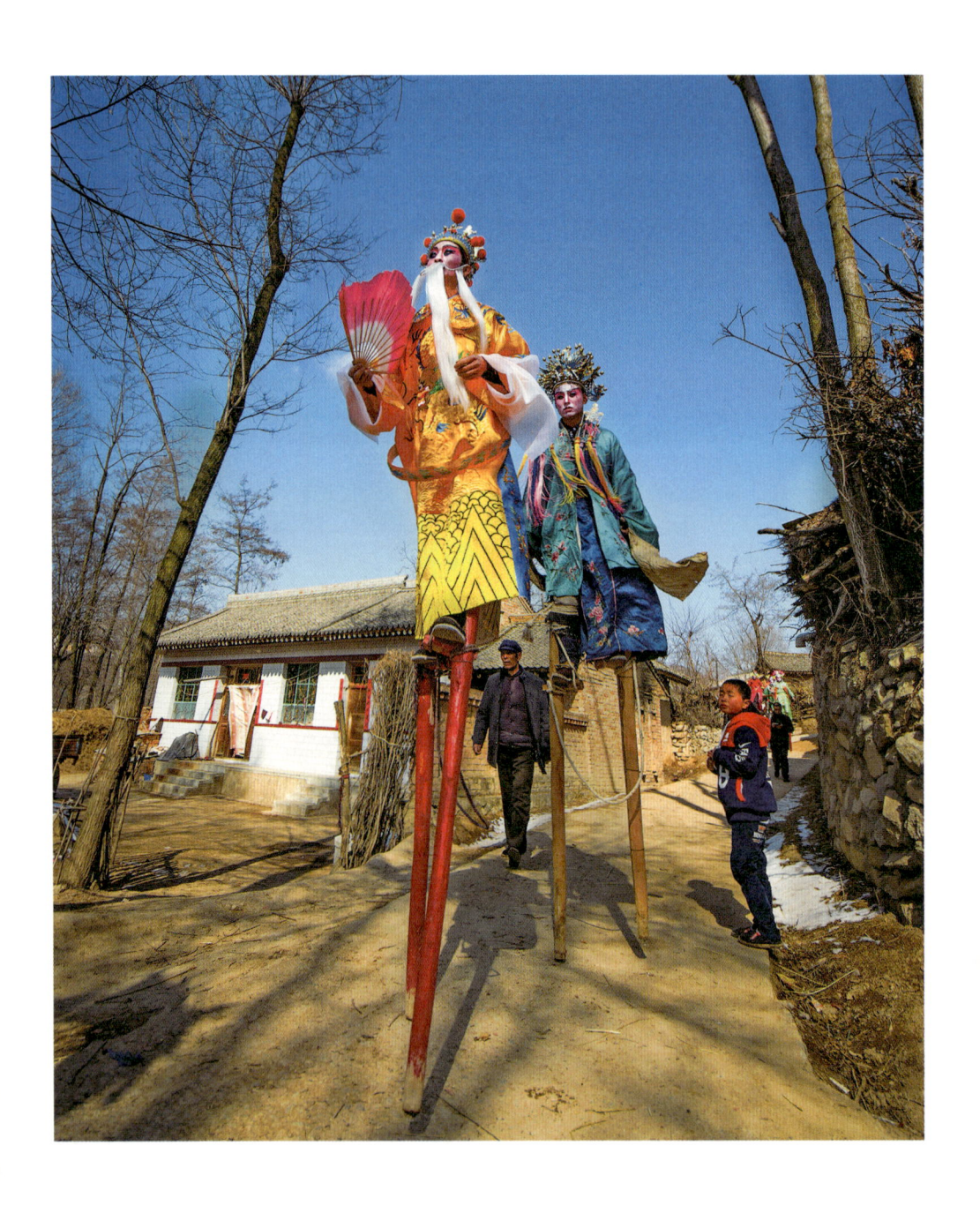

平原畅阔

壹 >> 春风十里闹红火

"东风夜放花千树。更吹落,星如雨。宝马雕车香满路。凤箫声动,玉壶光转,一夜鱼龙舞。"宋代大词人辛弃疾的千古名句,是八百多年前中国狂欢节——元宵节的生动写照。

而今,河北的很多村庄依然保持着春节"社火"的习俗。

社火,民间也叫闹红火,始于祖先对土地和火神的崇拜、祭祀。虽然很多程式已经自然简化或分散了,但仪仗队依然很讲究。

◎ 左页图　社火·踩高跷／汇图网　供图

平原畅阔

◎ 社火·舞龙／郭西力 摄

平原畅阔

社火是中国民间一种传统庆典活动，具体形式随地域而有较大差异。比如井陉矿区一带，过会、耍社火除了祭祀土地神，还增添了祭祀火神的内容。提前几天，村民们就已经邀约了周围村庄的亲戚。

街上一大早就有了过会的味道，家家户户早已为过会忙得不可开交。

酒肉菜蔬茶果置备齐全，女人们天不亮就开始操办一整天的"流水席"，家庭成员中有做花会会首、演员、指挥的，也有播音、维持秩序的，都到街上各就各位。

元宵节期间民间的娱乐活动，将河北春节文化生活带向了全身心释放的狂欢。

◎ 左页组图　花脸社火／冯婷玉　摄

贰 >> 运河悠悠唱乡愁

吴桥，位于河北省沧州市，地处黑龙港地区腹地，大运河在这里穿境而过。

大运河在中国历史上发挥了不可替代的作用，但在古代社会，它也打破了原有的自然水系和地貌格局，随着时间的推移，大运河和子牙河河床不断淤积，导致运河以西、子牙河以东之间的洼地越发低洼，长期的排水不畅，导致了这一地区频繁的洪涝、盐碱灾害。

这一地区，就是曾因自然条件恶劣而长期贫困的黑龙港地区。

长期的旱涝、盐碱，曾让这里的人们饱受磨难，却也让他们磨炼出特有的灵巧与坚忍。历史上难以单纯靠种地为生的一代代吴桥人，不得不练就一身杂技绝学，借助大运河交通运输之便，沿河而行，北上南下，走江湖、闯世界，也因此为吴桥杂技赢得了"世界杂技艺术摇篮"的美誉。

◎ 右页图　吴桥杂技大世界／视觉中国　供图

第四单元 一方水土

平原畅阔

世界杂技看中国，中国杂技看吴桥。吴桥源远流长的杂技历史和高超的杂技技艺吸引着世界各地的人们。

"上至九十九，下至刚会走。吴桥耍杂技，人人有一手。"事实上，不仅仅蜚声海内外的吴桥，整个沧州，从南至北，沿着运河两岸，都成为杂技之乡。

而今，黑龙港流域早已变身为华北粮仓的重要贡献地。但杂技这一苦难中开出的民间艺术之花，却一代代传承下来。

1987年，吴桥国际杂技艺术节始创，三十多年间，成为世界最著名的三大杂技赛事之一。

一方水土养一方人。一方水土，也养育一方的艺术风情。如果把河北的民间艺术地图用红线描出，你大可想象为一个曼妙多姿的舞者形象。

◎ 左页组图　吴桥杂技节表演／视觉中国　供图

◎ 上图　运河沧州段 / 陈秀峰　摄

河北复杂多样的地貌类型和风俗文化，孕育出了绚丽多姿的民间舞蹈。据河北省舞蹈家协会调查统计，全省民间歌舞多达一百四十六种。这让河北享有"北方汉族民间歌舞之乡"的美誉。

沧州落子，正是其中的典型代表。

位于沧州市正南二十多公里、黑龙港流域的南皮县，是沧州落子的发源地。史料记载，早在清雍正年间（约1730年），南皮就有落子说唱现象的存在。

而沧州落子最初的形成原因，竟是历史上当地恶劣的自然条件带给百姓的一段苦难记忆。

　　南皮，位于黑龙港地区腹地，西依千年流淌的大运河。长期旱涝、盐碱，曾让这里的人们饱受磨难。历史上，灾年难以单纯靠种地为生的一些南皮人，只能外出讨饭、卖艺。

　　落子的雏形，就是在这一过程中形成的一种说唱表演手段。

最初的落子仅为男、女二人表演，到后来又逐渐发展为多人表演。传统落子，女的脚踩寸跷（又名踩寸子），手持花扇或小竹板，男的手打霸王鞭。

经过几代民间艺术家的传承、创新、发展，沧州落子形成了以鞭、板、扇为主要道具，节奏明快、舞姿多样的独特舞蹈韵味。

为反映不同地域、不同文化的独特风情，各地民间舞往往会特别强调某个身体部位的表现力。

沧州落子主要强调腮——正是腆腮错肩的特殊身法，含蓄又鲜明地表现了舞中人青涩娇羞的青春感。腆腮这个动作的要领是：屈膝拧腰、腆腮错肩、含胸拔背、颠脚夹裆、一蹬一颤。

民间艺人生动地把这种感觉概括为"酸"，在教学排练中还会专门让学生体会、表现这种"酸"。

2008年，沧州落子入选国家级非物质文化遗产名录。

在中国舞蹈教育的最高学府北京舞蹈学院，沧州落子是唯一一个入选学校经典教学剧目库的河北民间舞。

◎ 右页组图　沧州落子／视觉中国　供图

147 第四单元 一方水土

井陉拉花，类属北方秧歌，是一种当地特有的民间艺术形式，起源于明清民间节日、庙会、庆典、祭祀之时的街头广场花会。

井陉拉花配乐既有河北吹歌的韵味，又有民歌、民间曲牌和戏曲曲牌的音调，还不乏浓厚的寺庙音乐和宫廷音乐的色彩。它古朴典雅、清爽动听、深沉美妙、刚健稳重，风格特征是刚而不野、柔而不糜、华而不浮、悲而不泣，突出特点是节奏鲜明，与拉花舞蹈的沉稳、含蓄、刚健、豪迈风格交相辉映，乐舞融合，浑然一体。

◎ 左页图　井陉拉花／冯婷玉　摄
◎ 右页上图　以图片形式展出的唐山"驴皮影"／视觉中国　供图
◎ 右页下左图　经典传统评剧《费姐》剧照／视觉中国　供图
◎ 右页下右图　二人台《拉毛驴》剧照／视觉中国　供图

　　宽博深厚的河北大地，民间技艺如同各种民间美食一样，落地生花，滋味绵长。吴桥杂技、平山渔家乐、沧州落子、河间大鼓、冀东评剧和驴皮影、蔚县晋剧、张家口二人台，在旅者的眼眸里，在游子的乡思里，活色生香，构成河北人共同的美好"冀"忆。

叁 >> "驴火"乾坤大　冀菜滋味长

美丽的麦子，可以腾挪变化出万千的河北特色美食——威县的牛舌火烧、平山的油鬼儿、蔚县的馓子、丰南的棋子烧饼、曲阳的缸炉烧饼、保定的罩火烧、正定的同福大馒头、肃宁双楼郭庄的冷汤儿……

而上升到河北名点的，是驴肉火烧，且全世界有口皆碑。

2010年上海世博会上，驴肉火烧作为中国首家"非遗"菜品亮相中华美食街，赢得粉丝无数。外国朋友给了它一个非常形象的名字："中国三明治"。

承德满汉全席、保定直隶官府菜、正定八大碗、白洋淀全鱼宴、赵州柏林禅寺全素斋、沧州清真羊汤、太行山腌肉面、石家庄大锅菜、肃宁梨木熏肠……都是河北人津津乐道的特色美食。

◎ 右页图　满汉全席／昵图网　供图

第四单元　一方水土

平原畅阔

美食形成，与地域文明的起源、发展密切相关，与地方的物产、气候、烹调工具等因素紧密呼应。从某种意义上说，美食的历史，即一部区域文明史、风物志。

2006年是冀菜文化史上具有里程碑意义的一个年份。经由中国商务部、中国烹饪协会正式评定，"冀菜"作为全国唯一新菜系，在八大菜系之外拥有了正式"户口"和"身份证"。

冀菜"出道"晚，但其来源于民间、上溯于古代，有着极为深厚的历史文化背景和渊源。

三万年前，河北境内的山顶洞人发明钻木取火，开始以火烧煮食物。

殷商时代，河北是开化之地，市镇具有相当规模，大建饭铺酒肆，最早的饮食业初步形成。《诗经》第一次以诗性的语言，综合反映了自西周至春秋约五百年间我国先民宴饮、祭祀、渔猎、农事等情况，当时脍、炙、蒸、煮、腌等烹饪技法已经炉火纯青，酿酒业极大发展，饮酒的礼仪、器皿等方面都有周备的规范。《诗经》十五国风中邶、鄘、卫，包容河北南部广大地区。

◎ 左页图　河间驴肉火烧／汇图网　供图

平原畅阔

如果历史一直沿着《诗经》时代朴素而浪漫、清远而知礼的轨迹前行，或许河北的饮食文化史也要简淡很多，一句"大羹不和，贵其质也"，即可概括冀菜的性格。然而，诡谲残酷、分合流离，才是它的真性情。正是在"一波硝烟一波平，刀光血影写太平"的历史底色上，才构建起泱泱河北的饮食文化史。江南菜、山西菜、北方游牧民族的食物和菜蔬，如同八江之水，汤汤而来，在河北汇聚、交流、创新，从而形成了近当代冀菜四大主要流派的雏形，这就是以保定为代表的直隶官府菜、以承德为代表的宫廷塞外菜、以唐山为代表的冀东沿海菜，以及以河北省会石家庄为代表的冀中南平原菜。

◎ 左图　保定名菜锅包肘子／汇图网　供图

菜的性格包容而内敛。较之于麻辣整个中国的川菜一姐、红透燕赵大地的湘菜妹子，冀菜始终以本邦菜、家乡菜的情怀，温暖着河北人的一日三餐。有敞开怀抱的"请进来"，以柔克刚的"拿来主义"，却少有"走出去"的光荣与梦想。唯一的例外是驴肉火烧，盛于华贵大气的青花瓷器里，或用以招待元首级人物，或端上奥运冠军出征壮行宴；而寻常巷陌，一炉一案，数张简单的桌凳，同样可以开起一个人气不浅的驴肉火烧馆子。据有关方面粗略统计，散落全国各地的驴肉火烧馆不下万家，而老板大多是河北人。

河北美食的恋乡情结太深。

只有端坐于雄安新区的淀边小楼，闻着微腥的风，数着映日的荷，听老板娘一一讲完小兵张嘎、雁翎队与"贴饼子熬小鱼"的故事，你才会蓦然明白，北方最大湿地白洋淀的全鱼宴，居然有如此的大智慧大勇毅啊！

同样，只有住在太行深处青石板、红石条垒起的石头村、古山堡，沿着秦皇古道走一走，亲手抚摩一下那颓圮的长城，才会咂摸出一碗太行腌肉面里的厚味。

◎ 右页图　平山腌肉面／呢图网　供图

157 第四单元 一方水土

平原畅阔

> 河北张家口蔚县，是古时著名的燕云十六州之一。这里古来盛产能工巧匠，蔚县剪纸被列入世界非物质文化遗产名录。

目前，全县完好保留下来的明清古村堡达一百多个，每年正月打树花、拜灯山、大秧歌等原汁原味的民俗文化活动，吸引着北京、天津、大同、太原等地的游客如潮而至。而每当这个时候，远方的客人亦可以品尝到古蔚州美食的原汁原味：暖泉糊糊面、暖泉香豆干、黄糕、蒸碗、苦荞饸饹、山药粉坨、莜面鱼子……

奇怪的是，蔚县小吃一离开本土，就像一朵花离开枝干和根系，即刻姿色全无。正如民间学者田永翔先生所言，蔚县豆腐是暖泉镇的活水滋养的，离开本土，就没有灵魂了。

是的，美食皆有灵魂。这灵魂，来自地域的千年滋养，与地域文化同根。河北美食，无论是直隶官府菜、塞外宫廷菜等四大主要流派，还是说起来无宗无派的一饼一粥，都可能与一个很神圣的传说、很显赫的人物有关。比如，直隶官府菜中的招牌"李鸿章大烩菜"，与中国近代史上洋务运动的鼻祖李鸿章有着深厚渊源；保定驴肉火烧，发端于漕河一带两大盐帮的争斗与杀伐；威县的牛舌火烧，是明朝山西大迁民事件以食物形式呈现的历史记录。

◎ 左页组图　蔚县剪纸／昵图网　供图

河北美食，以深厚的历史积淀，游走于官府、宫廷和民间，打上京畿文化、乡土情愫的深深印痕。似乎，它的滋味太丰富了，以至于给人的印象是"有味而至无味"。

其实，与上海菜的甜、徽州菜的臭、洛阳菜的"水"、山陕菜的酸对应，冀菜在作料的选择、工艺的特色上同样有着独特禀赋，那就是浓郁的咸鲜酱香。

"酱香"，让冀菜在中国九大菜系中独树一帜。

出品精致大气，讲究"汪油抱汁、明油亮芡"，"李鸿章大烩菜""锅包肘子""鸡里蹦""直隶海参"等皆为典型代表。

据说，河北的大酱文化史开始于汉朝。以"酱"入味，为冀菜染上一笔红亮、朴拙的成色，也使冀菜的滋味更醇厚、幽邃、深长。民间顺口溜云：保定有三宝，铁球、面酱、春不老。"三宝"中，面酱、春不老（经过腌制的雪里蕻）是吃食。在人们记忆中，冀中平原的食物，是无不可腌，无不可酱的。

◎ 右页上图　鸡里蹦／昵图网　供图
◎ 右页下图　李鸿章大烩菜／汇图网　供图

第四单元 一方水土 161

◎ 右图　八大碗／汇图网　供图

　　河北人餐桌上的食物，在悠悠岁月里腌过、酱过，终而脱尽铅华，返归饮食的真味、本味、厚味。

　　河北大平原上的人，尚简朴，讲效率。诸如八大碗之类的名菜，称为席面，只有年节婚嫁等大事，才会动摆个席面的念头。"吃一席，饱一集"，凑份子吃席面，就得在不失体面的前提下，吃个肚圆。

　　河北地界，平原占了四成多，其他多为山地。农产品出产，主要贡献者是平原，尤其是粮食。河北大平原上的人，好动脑子，让粮食花样翻新，创制下成千上万可圈可点的家常美食。

　　比如面条，有汤面、卤面、干拌面、烩面、炒面、焖面。拌面中，又有麻酱面、炸酱面。炸酱面则细分为素炸和肉炸。又如烧饼，有缸炉烧饼、吊炉

第四单元　一方水土

平原畅阔

烧饼、烤炉烧饼，五香烧饼、糖烧饼、豆沙烧饼，如果从形状上分，又有长方、圆、牛舌、鞋底、棋子，等等。

平素里，人们喜欢吃那些饭菜一体的实惠饭食，比如面条、饺子、包子，就体现了这样的思想精华。

河北美食众多，而且越是街头小吃，越能品出一方水土的滋味。

豆沫被誉为"小吃中的活化石"，是邯郸特色小吃。

豆沫不是豆面做的，而是小米做的，发源于邯郸的武安、峰峰一带，距今有三千多年历史。

一碗好豆沫，半透明，乳黄色，里边稀溜溜跑着花生豆、黄豆碎、细细的海带丝、绿菜叶、胡萝卜丝和小粉条，袅袅热气扑入鼻孔，含着熨帖的香。

熬豆沫，是个不省心的活计。前一天晚上炒了茴香籽、八角，水发了黄豆、粉条，精选小米，洗净海带。五更起床，井拔凉水泡小米一小时，煮好花生豆，备好红绿菜丝，海带改刀。拐子小石磨，泡好的小米掺上茴香籽和八角打成米浆，黄豆剁成碎。起锅烧水至翻小花，黄豆

◎ 左页图　邯郸豆沫／汇图网　供图

碎、细粉条、花生豆、海带、红绿菜依软硬次第下锅，将熟，米浆兑水，入锅同熬，边熬边用手勺搅动，二十来分钟方好。豆沫中放的花生米，要选沙土地出产的，香、糯、透灵。

邯郸市博物馆往北走，有丛台公园，东门就开在中华大街上。丛台，也称武灵丛台，相传为赵武灵王时期所建。

赵武灵王在位时，推行胡服骑射，赵国因而强大起来。据说，古赵王城就埋藏在地下七八米深处。古城的历史，仅次于粟和菽的种植史。如果这里不是富产金灿灿的小米和大豆，赵武灵王搞胡服骑射的底气就差多了。这么说起来，赵地的历史，着实离不开一碗好豆沫。

◎ 右页上图　胡服骑射雕像 / 汇图网　供图
◎ 右页下图　武灵丛台 / 刘向阳　摄

第四单元 一方水土

平原畅阔

◎ 左页上图　酱大骨／视觉中国　供图
◎ 左页下图　酱牛蹄筋／汇图网　供图

牛肉罩火烧是石家庄特色小吃，这一碗市井小吃，中间讲究可不少。

牛肉罩火烧，选肉，只选牛中肋，要求牛不大不小，并且宰杀时间不长，一摸还有温度、黏度。

做烧饼，要用上好的强筋小麦粉，最好是藁城滹沱河边麦地里打的麦子。罩火烧的汤更讲究，要用多种中药材熬煮。

卖罩火烧的店，一般也卖罩饼，丰简由己，一罩一，二罩二，三罩三，从一至九有多少排列组合，就可以有多少种罩法。一层脆嫩的饼，一层鲜香的肉，再放上辣椒油、菜码儿、老醋，热腾腾一碗，想想都要流口水。

罩火烧搭着牛肉蒸饺和酱牛蹄筋吃，属于比较奢侈的吃法。如果再点一大份羊大骨，那就达到高标准了。

河北大平原上的美食，信手拈来、俯拾皆是。初见或许不若南菜那般精致，细品却是滋味淳朴绵厚，如同河北的民歌俚曲一样，余音绕梁，久久不忘。

扫码听书

扫码看视频

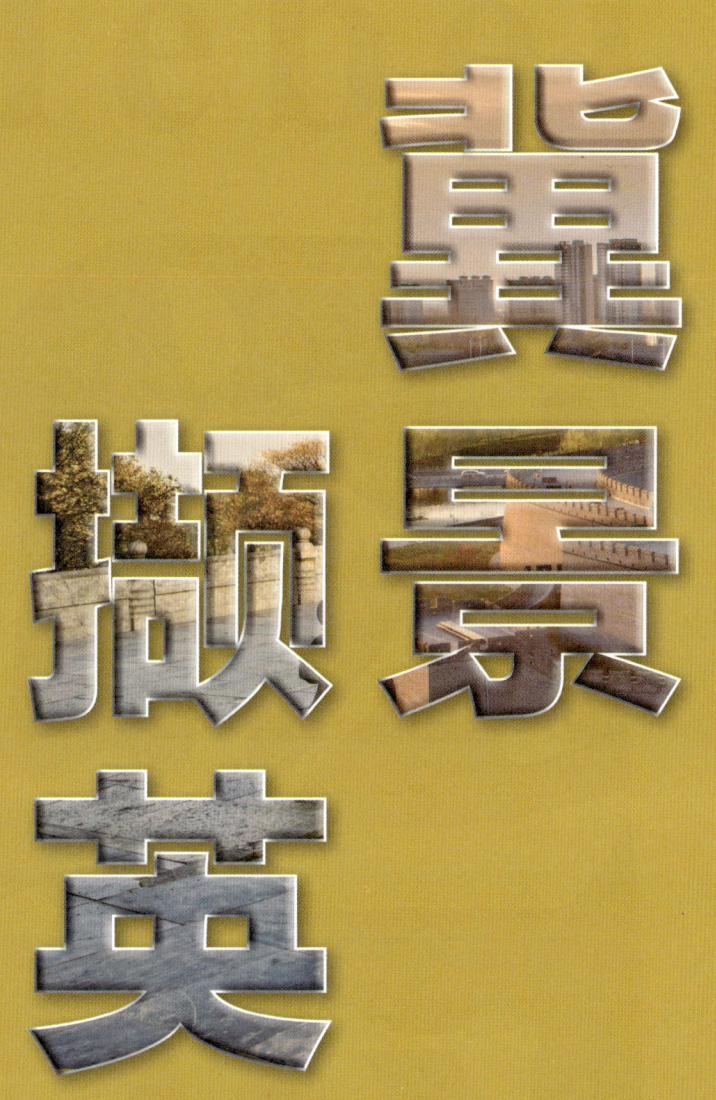

第五单元

冀景撷英

西柏坡

西柏坡，位于河北省石家庄市平山县，是党中央进入北平解放全国的最后一个农村指挥所，是中国十大著名红色旅游景点之一，景区内碧波荡漾的湖水和松涛阵阵的山岭形成了独具魅力的自然风光。

◎ 左页左图　西柏坡景区雕塑／视觉中国　供图
◎ 左页右图　西柏坡红色旅游小镇／汇图网　供图
◎ 上图　西柏坡岗南水库／汇图网　供图
◎ 下左图　西柏坡纪念馆／汇图网　供图
◎ 下右图　西柏坡中共中央旧址／汇图网　供图

正定古城

正定古城，位于河北省石家庄市北十五公里外，是按照中华传统规划思想和建筑风格建设起来的城市，历史上曾与保定、北京并称为"北方三雄镇"，南城门还嵌有"三关雄镇"的石额。1990年，正定被列为省级历史文化名城。1994年，被列为国家级历史文化名城。

◎ 右页组图　正定古城/武志伟　摄

冀景撷英　第五单元

赵州桥

赵州桥，位于河北省石家庄市赵县城南，是始建于595—605年的世界上现存年代久远、跨度大且保存完整的石拱桥，有着"世界拱桥之祖"的美称。因其建造工艺独特，拥有较高的科学研究价值，在中国造桥史上占据重要地位，并对全世界后代桥梁建筑有着深远影响。

◎ 右页组图　赵州桥／视觉中国　供图

第五单元 冀景撷英

隆兴寺

◎ 下图　隆兴寺／汇图网　供图
◎ 右页左上图　隆兴寺冬景／李健民　摄
◎ 右页左下图　夏日隆兴寺／孙庆一　摄
◎ 右页右图　隆兴寺（局部）／张凯　摄

隆兴寺，位于河北省石家庄市正定县城，以大悲阁内的铜佛"千手观音"闻名，俗称大佛寺，是中国国内现存宋代建筑、塑像及石刻最多的寺院建筑之一。寺内有被誉为世界古建筑孤例的宋代建筑摩尼殿、被誉为"东方美神"的"倒座观音"等古迹。

汹汹水

汹汹水，位于河北省石家庄市平山县西南边缘，作为红色旅游胜地令人敬仰向往。坐落其中的汹汹水发电厂，是解放战争时期我党我军第一座水力发电站。汹汹水生态风景区内的瀑布四季不竭，五百多种植物将山谷装扮得色彩斑斓，堪称北雄南秀集一身。

◎ 右页组图　汹汹水风景区／视觉中国　供图

冀景撷英 第五单元 181

清西陵

◎ 左页图　清西陵石牌坊／视觉中国　供图
◎ 上图　清西陵／视觉中国　供图

　　清西陵，位于河北省保定市易县永宁山下，是清代自雍正时起四位皇帝的陵寝之地，始建于雍正八年（1730年）。陵区内有千余间宫殿建筑和百余座古建筑、古雕刻。1961年，清西陵被列入第一批全国重点文物保护单位；2000年，与清东陵一起，被第24届世界遗产委员会列为世界文化遗产。

吴桥杂技大世界

吴桥，隶属河北省沧州市，吴桥县政府与香港国旅合资兴建的"吴桥杂技大世界"，集游乐、人文、博物、民俗、杂技培训、比赛交流于一体，具有神奇、绝妙、新颖、独特的民族文化特色，是独树一帜的世界东方杂技旅游胜地。

◎ 右页组图　杂技表演／视觉中国　供图

冀景撷英 第五单元 185

冉庄地道战遗址

冉庄地道战遗址，位于河北省保定市清苑区冉庄镇冉庄村。这里是中华民族抵御外侮的历史见证，是人民战争取得胜利的历史见证，是中华民族英勇斗争精神的历史见证。纪念馆供游客参观的主要内容有：冀中冉庄地道战展厅、地道遗址及地下作战设施和地上遗址保护区。

◎ 左页组图　冉庄地道战旧址／昵图网　供图
◎ 上组图　冉庄地道战纪念馆／汇图网　供图

古莲花池

◎ 左页上组图　古莲花池冬韵／梁凤华　摄
◎ 左页下组图　古莲花池雪景／田英　摄
◎ 右页图　古莲花池／陈亮　摄

古莲花池，位于河北省保定市，原名雪香园，距今已有近八百年的历史，原为金末元初著名军事将领张柔的居所。它历经私人、官府、书院、行宫和公共园林的历史变迁，以其浓重的历史积淀，成为中国十大园林之一。